Collection folio cadet

traduit par Isabelle Lesur

Supplément réalisé avec la collaboration de
Dominique Boutel et Anne Panzani

Illustrations de la couverture Romain Slocombe
Illustrations intérieures Terry McKenna
mise en couleurs des illustrations intérieures
de Sylvie Bridon

ISBN : 2-07-031254-2
Titre original : The Mystery Squad and the Creeping Castle
Publié par Blackie and Son Ltd,
© Martin Waddell 1984, pour le texte
© Terry McKenna 1984, pour les illustrations
© Editions Gallimard, 1986 pour la traduction
Numéro d'édition : 51266
Dépôt légal : Avril 1991
Imprimé en Italie par La Editoriale Libraria

LA BANDE
DES QUATRE
DE MARTIN WADDELL
L'homme en rouge

GALLIMARD

Pour Adèle et Sherlock Holmes,
quand vous voulez !

Êtes-vous bon détective ?

Pour résoudre cette affaire, tout dépendra de vos choix et des indices que vous aurez repérés en route. Ils se cachent dans le texte mais aussi dans les illustrations. Ouvrez bien les yeux ! Si vous éclaircissez le mystère du premier coup, vous obtenez un maximum de points ainsi que le titre glorieux de Sherlock Holmes. Enfantin, mon cher Watson ? Pas vraiment. Les casse-tête se multiplient et attention aux *Tartes à la crème* !
Additionnez, vos points au fur et à mesure de votre enquête et vérifiez votre score final.

Le mystère commence ici...

– Thomas, pourquoi m'as-tu fait venir ici ? demande le commissaire Laloupe qui commence à perdre patience.

– Il y a un rôdeur là-haut sur la colline, papa, répond Thomas.

– L'Homme en rouge ! dis-je. Je l'ai vu !

– Qu'as-tu vu exactement, Anatole ? ajoute le père de Thomas.

– Eh bien, voilà. Nous campions au Château

Croulant et il devait être minuit. J'étais monté en haut de la tour hantée quand je l'ai vu, au loin, près des ruines du Grinçoire.

– L'Homme en rouge ? s'étonne le père de Thomas.

– Oui, il était enveloppé dans une sorte de cape rouge, dis-je. C'est aussi ce qu'ont affirmé les autres témoins.

– Quels autres témoins ? s'enquiert le commissaire.

Nous lui parlons alors de Louis, le facteur, de Mme Leconte, de la ferme des Coteaux, et de l'un de ses métayers qui, eux aussi, ont vu quelqu'un sur le promontoire près de la bergerie.

– Quelqu'un qui se promène sur la colline, enveloppé dans une cape rouge, marmonne le père de Thomas. Et c'est pour cette raison que tu m'as fait faire vingt-cinq kilomètres ?

– Mais, papa, il y a un livre de valeur au musée du château, rétorque Thomas. C'est le *Livre du corbeau.* La vieille dame qui habite ici...

– Ici ? dans cette ruine ? s'exclame le père de Thomas en regardant le Château Croulant.

En effet, ce n'est plus qu'un amas de pans de murs qui, peu à peu, s'écroulent dans la mer. Mais il reste encore quelques parties où l'on peut vivre si l'on ne craint pas que le toit vous tombe sur la tête. De toute façon, le père de Thomas n'a jamais entendu parler de Melba Mour ! Cette ancienne chanteuse de music-hall a hérité de ce château, c'est elle qui nous a donné la permission de venir camper dans les ruines.

– Il y a une vieille dame qui habite là ? continue le père de Thomas d'un air surpris.

– Elle est un peu marteau, dis-je. Et ça, c'est son asile !

– Elle va le rénover, papa, précise Thomas.

– Mais ça va lui coûter une fortune ! s'écrie le commissaire en fronçant les sourcils.

– Voilà où je voulais en venir avec le *Livre du corbeau*, papa, poursuit Thomas. C'est un vieux registre de famille. Les armoiries des Mour représentent trois corbeaux... Tu vois, ils sont sculptés sur toutes les plus vieilles parties du château. Melba Mour ne veut pas vendre le *Livre du corbeau*, pourtant, elle n'a pas vraiment le choix. Il faudra bien qu'elle trouve de l'argent, sinon tout ce qui reste du château sera englouti par la mer.

– Elle veut en faire une maison de retraite pour vieilles vedettes ! dit Julie. A commencer par Coco, Valentin et Maurice... ses compagnons !

Nous sommes venus camper dans cet endroit par hasard. Ce n'est qu'une fois sur place que nous nous sommes rendu compte qu'un nouveau mystère nous y attendait. Dans la Bande des Quatre, nous sommes évidemment quatre. Thomas en est le chef parce qu'il est aussi fort que Sherlock Holmes pour résoudre une énigme. Mon frère Rémi est l'expert technique, et ma sœur Julie, c'est la rigolote du groupe. Quant à moi, qui ai

repéré l'Homme en rouge, je suis le responsable des dossiers de la Bande des Quatre ainsi que du M.T.S. (Matériel Top Secret).

– Va jeter un coup d'œil, papa, supplie Thomas. Nous aimons bien Melba Mour et ses vieux copains et les témoins nous ont raconté suffisamment de choses pour que nous suspections l'existence d'un mystère. Le problème est maintenant de réussir à convaincre le père de Thomas.

– Bon, d'accord, bougonne celui-ci en regardant sa montre. Mais pas plus de cinq minutes !

Quarante minutes plus tard, il est toujours à l'intérieur du Château Croulant à parcourir de vieilles coupures de presse sur Melba Mour, Coco Cadix, Valentin Avril et Maurice Molidor.

– Nous sommes des artistes ! s'exclame Valentin Avril en faisant tournoyer sa truelle au-dessus de sa tête.

Tout le ciment frais qu'il y avait dessus dégouline dans le dos de Julie. Les amis de Melba sont supposés lui donner un coup de main mais, chaque fois qu'ils entreprennent quelque chose, c'est toujours la catastrophe.

– Ce n'est pas notre fort, le bâtiment ! s'écrie Coco en faisant retentir sa voix formidable.

On dirait presque une corne de brume.

– Qu'est-ce que vous racontez ? demande Maurice.

– Nous construisons des rêves, pas des maisons ! s'exclame Coco avec panache.

– Le monde entier est notre scène ! renchérit Valentin. Et Melba est notre vedette, pas vrai, ma douce ?

Melba lui sourit. C'est une petite dame frêle qui marche avec une canne... et qui, parfois, se met à danser avec !

– Au Château Croulant, le spectacle continue ! s'écrie Valentin. Tout un plateau de grandes vedettes !

– Oui... répond le père de Thomas en essayant d'éviter la truelle de Valentin. C'est tout à fait exact, monsieur. Vous avez raison. Me serait-il possible de vérifier... vos installations de sécurité ?

– Vous êtes un amour ! déclare la petite Melba en souriant au commissaire. Ah ! si seulement j'avais un an ou deux de moins, je...

– Ah non ! Pas d'embrassades en public, Melba, dit Valentin. Ça me rendrait jaloux.

– Quoi ? fait Maurice.

Mais les deux autres ne lui répondent pas, trop occupés à regarder Melba embrasser un policier. Au bout d'un moment, le commissaire parvient à se dégager du groupe en entraînant Thomas avec lui. Melba les poursuit. Valentin et Coco sont en train de faire des grimaces lorsque Thomas revient. Il n'a pas l'air très joyeux.

– Ton père est vraiment un homme charmant, mon chéri ! s'exclame Melba. Il va sauver la représentation, j'en suis sûre !

– Oui... oui, marmonne Thomas qui n'a pas l'air trop convaincu.

– J'avais un numéro formidable avec l'histoire d'un policier, dit Coco. Vous vous souvenez ? Ça commençait comme ça...

Et tous entonnent la chanson de Coco.

– Venez ! lance Thomas. Laissons ces vieux fous !

– Tu as des ennuis ? lui demande Julie alors que nous nous éloignons du château.

– Eh bien, on ne peut pas dire que papa ait été vraiment impressionné, explique Thomas. De toute façon, qui l'aurait été dans une telle situation ? Melba courant derrière mon père, tandis que Coco et Valentin font leur numéro de Laurel et Hardy et que le vieux Maurice ne comprend rien à rien.

Maurice a été le pianiste de Melba. Maintenant, il est sourd comme un pot, sans doute à force de l'écouter.

– Moi, je les aime bien, dit Julie. Melba, Valentin, Coco et Maurice. Ils ont été sympas avec nous, ils nous ont laissés camper au château. Et puis ils ne sont pas si fous que ça. Il faut qu'ils fassent leur numéro dès qu'ils ont un public.

– Les aimer est une chose, fait observer Thomas. Les prendre au sérieux quand ils parlent de l'Homme en rouge en est une autre.

– Mais nous savons que l'Homme en rouge existe puisque je l'ai vu, dis-je.

Thomas ne répond pas.

– Parfois, tu n'es pas très clair non plus, Anatole, rétorque Julie. Le père de Thomas te connaît.

– C'est justement l'histoire du rouge qui l'a fait tiquer, déclare Thomas avant que j'aie le temps de répondre à Julie. Papa m'a fait remarquer que, si quelqu'un veut « repérer » un endroit avant d'y voler quelque chose, il a tout intérêt à passer inaperçu. Et ce n'est pas en se baladant dans une cape rouge qu'il y arrivera !

– On a fait ce qu'il fallait, marmonne Julie. Le livre a de la valeur et il peut être volé. Si cela se produit, ces charmantes vieilles personnes n'auront plus assez d'argent et elles devront abandonner le château. Ce serait trop triste. Il fallait qu'on en parle à ton père, Thomas.

– Alors, que fait-on ? dis-je.

Même si le père de Thomas n'est pas intéressé, il me semble que la Bande des Quatre doit agir.

Thomas hausse les épaules.

– Papa m'a dit qu'on pourrait aller voir du côté du promontoire, du moment qu'on ne s'attire pas d'ennuis. Il a, malgré tout, été impressionné par les témoignages que nous avons recueillis... Si seulement Melba ne l'avait pas embrassé !

– Embrassé ? s'esclaffe Julie. Elle l'a vraiment embrassé ?

Imaginer la scène est plutôt comique !

– Il fallait voir la tête de papa, ajoute Thomas en riant, il n'a pas l'habitude d'être embrassé par ses « clients ».

– Mais Melba n'est pas une vieille dame comme les autres, rétorque Julie. Elle est spéciale. C'était une grande vedette !

– D'après eux, ils l'étaient tous, poursuit Rémi.

– Moi, je les aime bien, insiste Julie. Et ça m'est égal s'ils sont un peu fêlés. Il n'y a pas beaucoup de personnes âgées qui ont un tel tonus et qui rient autant.

– Maurice n'a pas vraiment de tonus, dis-je. Il ne fait que répéter « Quoi ? » et « Qu'est-ce que c'est ? ».

– Oui, mais tu oublies qu'il est sourd, objecte Julie.

– C'est vrai, reconnaît Thomas.

– Alors, qu'est-ce qu'on fait ? On se lance à la poursuite de l'Homme en rouge ? On se partage en deux groupes et on commence les recherches du côté du promontoire ? Moi, je prends la falaise et la crique du Tonneau...

– Anatole, Coco m'a dit de ne pas aller à la crique du Tonneau, précise Julie. Ce lieu s'appelle le Château Croulant.

La falaise a tendance à s'effriter et le château risque de s'écrouler avec. Tu pourrais être pris dans un éboulis de pierres !

– Ça lui ferait peut-être du bien ! marmonne Thomas.

Quel dommage que le château soit dans cet état ! Avant, il y avait des donjons, un fantôme et tout le reste. Melba nous l'a raconté, elle connaît des tas de choses ! Le Château Croulant appartient à sa famille depuis des siècles, c'est pourquoi elle ne veut pas le perdre.

– Moi, j'aimerais bien y vivre ! s'exclame Julie. Je suis tout à fait de son avis : vivre dans un château, et surtout un château avec une tour hantée, ce doit être vraiment génial !

– Tout cela ne nous mène pas très loin, constate Thomas. J'ai dit à papa qu'on le préviendrait si on trouvait quelque chose... Alors, on ferait mieux de commencer à chercher.

– Et comment ?

– Nous allons avoir une Réunion de la Bande des Quatre pour en discuter, déclare Thomas. Rémi ?

– Où est Rémi ? demande Julie.

Rémi n'est pas là. Personne n'a remarqué son départ, pourtant, il a bel et bien disparu.

– Mon père va être furieux s'il lui est arrivé quelque chose, marmonne Thomas.

Mais il est bientôt rassuré. En effet, Rémi nous a laissé un message codé dans la tente.

Pouvez-vous déchiffrer le message ?
Il y a un mot dans chaque case.
Le message comporte trois lignes.

Si vous avez besoin d'aide pour déchiffrer la première ligne, rendez-vous au **9**.

Si vous avez besoin d'aide pour la deuxième ligne, rendez-vous au **82**.

Si vous avez besoin d'aide pour la troisième ligne, rendez-vous au **52**.

Lorsque vous avez entièrement déchiffré le message, rendez-vous au **37**.

2

Vous n'avez aucun élément qui prouve qu'on ait attaqué une banque ! *Tarte à la crème.* Retournez au **87** et réfléchissez !

—————— 3 ——————

Coco et Melba ont fourni un alibi à Valentin. Retournez au **38**.

—————— 4 ——————

Fausse piste ! Le père de Thomas vous écorcherait vif ! Retournez au **20** et recommencez.

—————— 5 ——————

Exact... mais à quoi sert le cadenas ? Réfléchissez, puis rendez-vous au **69**.

—————— 6 ——————

Fausse piste ! Retournez au **45**.

—————— 7 ——————

Sherlock-Note

Vous obtenez 8 points si vous avez résolu l'énigme !

Enlevez 1 point si vous avez reçu une Tarte à la crème *en pleine figure !*

Enlevez 1 point pour chaque erreur de parcours et 1 point si vous avez eu besoin d'un indice.

Si vous avez perdu plus de 5 points, vous obtenez 0 point !

– Ce n'était ni Valentin, ni Maurice, ni Coco, ni Melba... déclare Thomas. C'était les quatre !

– Tous ?

– Les alibis sont tous vrais, précise Thomas. Chacun à leur tour ils incarnaient l'Homme en rouge, afin qu'aucun d'eux ne se fasse prendre !

– Ce ne sont que des balivernes... commence Coco.

Mais Melba l'interrompt aussitôt.

– Ça ne fait rien, chéri, dit-elle. Ça ne marchera pas. Ces enfants sont trop forts pour nous.

– Le livre était assuré pour une grosse somme, n'est-ce pas ? demande Rémi. C'est bien cela ?

– Oui, assez pour effectuer les travaux nécessaires à la rénovation du château ! répond Melba. Mais c'était mon livre. Je... je... ne voulais pas le vendre !

– Alors, vous avez eu l'idée de le voler vous-mêmes ! s'exclame Julie qui comprend tout à coup.

– C'est ma faute, déclare Valentin. Nous pensions que si nous pouvions faire croire à l'existence de l'Homme en rouge et faire ensuite disparaître le livre, nous pourrions nous en sortir auprès de la compagnie d'assurances !

– Mais ce n'était pas pour l'argent ! précise Melba en pleurant à chaudes larmes. C'était pour le château. Je voulais vivre ici... nous le voulions tous... Et le *Livre du corbeau* appartient au château... je ne pouvais pas le vendre !

Cela me fait de la peine. Melba s'est battue pour garder son château... et la Bande des Quatre a mis tous ses plans par terre.

– Il vous fallait un voleur, aussi avez-vous inventé l'Homme en rouge. Vous l'avez exhibé à tous les habitants du coin... puis nous sommes arrivés et vous avez découvert que le père de Thomas était policier ! Alors, vous avez fait mieux encore ! Vous avez arrangé la cabane et vous vous êtes assurés qu'on irait la voir. Et vous avez laissé des indices sur le réseau des tunnels secrets.

– Mais comment avez-vous découvert que nous étions derrière tout cela ? demande le vieux Coco, très pâle et l'air bouleversé.

– Vous aviez très peur qu'on ne vous vole le livre, explique Thomas. Jusqu'à ce qu'il soit volé. Après, vous avez oublié de continuer à jouer la comédie ! Nous avons eu une petite conversation sur le show business et Melba s'est mise à bavarder... disant que, si le livre avait vraiment été volé, ça ne se serait pas passé comme ça !

– Ils n'avaient pas à s'inquiéter. Ils savaient très bien où était le livre, ajoute Rémi.

– Mais, au fait, où est-il ? dis-je.

– Là où personne n'aurait pensé à regarder, répond tristement Melba. Dans un endroit sûr et sec où on ne l'aurait pas remarqué. C'est un vieux document qui a de la valeur, vous savez. Un changement de température, l'humidité, et le vieux manuscrit s'abîmerait aussitôt. C'est Valentin qui a pensé à cette cachette...

Où le cacheriez-vous, connaissant toutes les conditions nécessaires à la sauvegarde du manuscrit ?
Si vous le voulez, vous pouvez consulter la carte du **45** ainsi que toutes les illustrations du livre. Rendez-vous au **27** quand vous aurez fait votre choix.

8

Sherlock-Note
Vous obtenez 1 point pour chaque bonne réponse. 0 point pour les mauvaises !

– Les ruines du Grinçoire, la chapelle Saint-André et le rocher de la Croix, explique Thomas. C'est vers ces endroits que les tunnels semblent se diriger.
– Le trésor y est peut-être caché ? s'écrie Julie.
– Et l'Homme en rouge court après ! dis-je.
– Ce que vous êtes gamins ! lance Rémi, un peu vexé que Thomas ait tout découvert.
– Si la carte est exacte, il y a cinq tunnels qui débouchent dans le château, ajoute Thomas ; un dans chaque tour et un à la porte, là où il y a un petit trait sur le plan.
– Que signifie ce trait ? demande Julie. Je parierai que c'est l'endroit où se trouve le trésor !

– Tour sud, tour ouest, tour de guet, tour de la porte et tour hantée, dit Rémi. C'est ici. On doit pénétrer dans le tunnel ici même.

– C'est probablement au rez-de-chaussée, déclare Thomas.

– Pas forcément, objecte Rémi qui commence à s'intéresser à la situation. Dans les vieux châteaux comme celui-ci, les tunnels secrets partent souvent d'un endroit élevé. Il y a plein de place dans ces murs épais pour construire des escaliers secrets. Si l'ennemi pénétrait à l'intérieur du château, c'était la seule chance de s'échapper de l'enceinte.

– Le tunnel secret est peut-être dans cette pièce ! dis-je à Julie.

Mais elle ne m'écoute pas. Elle a déjà enfoui sa tête dans l'énorme cheminée, en quête d'un tunnel secret !

– Sortons-la d'ici ! lance Rémi.

Nous la tirons tous les deux par les jambes. Julie est furieuse.

– Se coincer dans une cheminée n'est pas la meilleure façon de trouver un tunnel secret, Julie, dis-je.

– Vous pourriez essayer de taper contre les murs, suggère Rémi. Pour voir si quelque part ça sonne creux.

– On pourrait aussi mesurer, poursuis-je. S'il y a une pièce secrète, les mesures intérieures ne correspondront pas avec celles de l'extérieur.

– Un trésor ! s'écrie Julie.
– Arrête un peu avec ton trésor, Julie ! soupire Rémi.

– On pourrait aussi essayer de repérer des marques sur le sol, là où on a ouvert des entrées secrètes, dis-je.

– S'il y a une entrée secrète ici, elle n'a pas dû être utilisée depuis des siècles, rétorque Rémi.

– Si le plan de la cabane appartient bien à l'Homme en rouge d'Anatole, les tunnels ont été utilisés bien plus récemment, objecte Thomas. C'est le chemin idéal pour s'infiltrer dans le château !

– On va commencer ici, puis examiner les pièces les unes après les autres et voir si on trouve quelque chose, dis-je. Je vais dessiner un plan de chaque pièce et on numérotera chaque plancher et chaque mur. Dès qu'on les aura vérifiés, on mettra une croix dessus. Il y a peut-être un panneau qui coulisse quand on appuie sur un ressort...

– Ce sont des murs de pierre ! m'interrompt Rémi.

– Une pierre qui coulisse, dis-je.

– Ce sont de bonnes idées, constate Rémi. Mais quelle est la façon la plus rapide de repérer l'entrée du tunnel... s'il y en a une ?

Qu'allez-vous faire ?

Allez-vous commencer par...

Taper sur le mur ? Rendez-vous au **42**.

Relever les dimensions de la pièce ? Rendez-vous au **79**.

Chercher les traces d'une porte qui aurait existé autrefois ? Rendez-vous au **55**.
Essayer autre chose ? Rendez-vous au **25**.

Suggestion d'Anatole : le chemin le plus simple est aussi le plus rapide.

——————————— **9** ———————————

JEU-U = JE

TRUIE-TR-E = UI + S+S
= SUIS

AL + une haie =ALLER

JE SUIS ALLÉ est la première ligne du message.
Rendez-vous au **1**.

——————————— **10** ———————————

Quel genre de poisson pensez-vous qu'il va attraper dans une bergerie ? Si vous pensez avoir fait une erreur, rendez-vous au **36**. Si vous pensez, au contraire, qu'il ne s'agit pas d'un poisson d'avril, rendez-vous au **56**.

——————————— **11** ———————————

Vous pensez que ce n'était ni Valentin, ni Maurice, ni Coco, ni Melba, ni Charlie ? Mais qui donc alors ? Si vous le savez, rendez-vous au **7**. Si vous avez besoin d'un indice, rendez-vous au **92**.

Exact ! Mais de quoi est-ce le plan ? Dès que vous avez trouvé, rendez-vous au **63**. Si vous voulez un indice codé, rendez-vous au **22**.

Fausse piste ! Que vous le disiez ou non au père de Thomas, vous serez quand même entré par effraction. Retournez au **20** et recommencez.

NONOSO... voici votre indice. Si vous connaissez maintenant la réponse, rendez-vous au **19**. Si vous avez besoin d'un autre indice, rendez-vous au **40**.

Fausse piste ! Retournez au **45**.

Fausse piste ! Retournez au **88**.

Fausse piste ! Rendez-vous au **57** et recommencez.

Votre mauvaise vue vous vaut une montagne de *Tartes à la crème* ! Retournez au **37**.

Sherlock-Note

Vous obtenez 4 points si vous avez trouvé la bonne réponse du premier coup.

Enlevez 1 point pour chaque indice utilisé !

Le NONOSONNE sur le plan de la cabane signifie :

NORD-OUEST-NORD-OUEST-SUD-OUEST-NORD-NORD-EST. Une vérification rapide sur le plan m'indique qu'il s'agit du trajet du tunnel allant de la chapelle Saint-André à la tour hantée !

Je suis vraiment très fort !

– Où étais-tu passé ? me demande Julie quand j'arrive dans la cour du château.

Elle est assise sur un pan de mur effondré et elle a l'air d'en savoir long.

Je lui parle alors de ma découverte !

– Oh ! c'est ça ! répond-elle d'un air très détaché. Je le sais déjà !

Je suis sûr du contraire. Elle dit ça pour crâner ! Puis elle essaie de m'en mettre plein la vue en m'expliquant comment elle a trouvé son chemin jusqu'au château.

– Et j'ai pris au piège Charlie ! s'exclame-t-elle.

– Quoi ?

– Dans le tunnel, il y a une espèce de herse, explique-t-elle, juste à côté de la porte principale. On la voit d'ailleurs sur le plan, elle est indiquée par un trait. Je me suis dit qu'elle était devant moi, en route vers le château. Alors, quand je suis arrivée à la herse, je l'ai refermée ! Elle est prise au piège maintenant... De ce côté de la herse, sous le Château Croulant, quelque part dans ces petits donjons pas très rassurants. Elle va vouloir sortir de là et s'enfuir. C'est à ce moment-là qu'on la coincera !

– Qu'entends-tu par *elle* ? dis-je.

– Elle, c'est Charlie. Celle qui se fait passer pour le fantôme et qui nous a fait peur, répond Julie.

– Le fantôme que nous avons entendu dans la tour hantée n'était pas Charlie, dis-je. Ou, si c'est elle, elle ne peut pas être l'Homme en rouge !

Pourquoi pas ?

Parce que les fantômes n'existent pas ? Rendez-vous au **24**.

Parce qu'une même personne ne peut pas être en deux endroits à la fois ? Rendez-vous au **49**.

Parce que l'Homme en rouge est vraiment un homme ? Rendez-vous au **61**.

———————— 20 ————————

Sherlock-Note

Vous obtenez 3 points si vous avez repéré le cadenas.
Enlevez 1 point si vous avez eu besoin d'aide, si vous avez pensé aux boîtes de conserve ou au vieux bateau.
Vous ne perdez pas de points si vous avez pensé à la trace de pneu, car c'est peut-être un indice. Toutefois, ce n'est pas sûr !

– Il y a un cadenas sur l'une des portes des cabanes, déclare Rémi. Quelqu'un utilise donc cet endroit supposé abandonné !

– Et le cadenas n'est pas rouillé, ajoute Thomas. On l'a mis là récemment.

– Le repaire de l'Homme en rouge ! dis-je. Où va-t-il encore frapper ?

– Près de toi, j'espère, réplique Rémi.

– Tout à fait d'accord, renchérit Julie.

– Et que pensez-vous de la trace de pneu ? dis-je. Ce pourrait être celle d'une moto.

– Il n'y a pas d'autre indice prouvant que quelqu'un a utilisé une moto, rétorque Rémi. Une trace aussi profonde que celle-ci a sans doute été faite sur un sol humide, il y a peut-être très longtemps.

– Il s'agit peut-être d'un motard qui manie durement son engin, suggère Thomas.

– L'Homme en rouge ! dis-je. Il doit porter une combinaison de moto rouge !

– Ce qui expliquerait qu'il disparaisse toujours quand quelqu'un essaie de l'approcher, déclare Julie.

En effet, tous les témoins ont vu l'Homme en rouge mais aucun d'eux n'a réussi à l'approcher. Aucun, sauf le vieux Valentin Avril, qui a essayé. D'après lui, l'Homme en rouge se serait comme enfoncé dans le sol. Puis il s'est mis à nous parler des trappes de pantomime, ce qui était intéressant mais n'apportait rien à l'enquête. Melba et ses amis ne sont pas des témoins sérieux. Tout ce qu'ils veulent, c'est parler d'eux-mêmes.

– Si on a mis un cadenas sur cette porte, c'est qu'il doit y avoir une raison, précise Rémi qui adore chercher la logique des choses.

– Entrons ! propose Julie.

– Et comment ? demande Thomas d'un ton sec.

– On pourrait ouvrir le cadenas, dis-je. Je crois que je pourrai le dévisser grâce à ma Trousse pour Opérations Spéciales.

Je ne me déplace jamais sans elle.

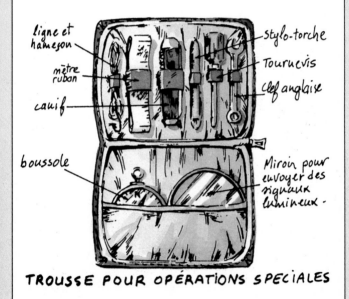

ligne et
hameçon

mètre
ruban

canif

stylo-torche

Tournevis

clef anglaise

boussole

Miroir pour
envoyer des
signaux
lumineux.

TROUSSE POUR OPÉRATIONS SPECIALES

Ma Trousse pour Opérations Spéciales est un ancien nécessaire à manucure de maman dans lequel j'ai placé tous les instruments indispensables. Elle est très petite et je la porte toujours sur moi, dans un endroit top secret. (Je ne vous révélerai pas la cachette ; tout ce que je peux dire, c'est que cela fait mal si l'on s'assoit trop brutalement.)

– C'est une effraction, fait remarquer Thomas. Vous expliquerez ça à mon père, pas moi !

– On n'est pas obligés d'en parler à ton père. On remettra le cadenas après, dis-je, persuadé que mon idée est géniale.

– Si l'on doit y entrer, ce serait peut-être plus facile de passer par la fenêtre en enlevant une des planches, suggère Rémi.

– J'ai déjà essayé de jeter un coup d'œil, mais le volet est bien fermé ! précise Julie.

– Et maintenant vous voulez casser la fenêtre ! s'emporte Thomas.

– J'ai dit *si*, marmonne Rémi.

– S'il y avait un trou dans le mur, on pourrait regarder à l'intérieur, propose Julie.

– Les murs sont solides, la porte est cadenassée et la fenêtre est bouchée par des planches, déclare Thomas. Je propose que nous laissions tomber !

– Tu as peur de ton père ! constate Julie.

– Non, je suis raisonnable, répond Thomas. Entrer par effraction est un délit.

– Mais on ne va rien voler, rétorque Julie. On veut juste regarder.

– Oui, mais c'est quand même entrer par effraction, insiste Thomas. Il n'en est pas question !

Que feriez-vous ?
Enlever le cadenas, comme le suggère Anatole, et dire au père de Thomas que vous n'aviez pas l'intention de voler quelque chose ? Rendez-vous au **4**.

Enlever le cadenas, comme le suggère Anatole, et ne rien dire au père de Thomas ? (Vous pourriez le remettre après et espérer que personne ne le remarquera.) Rendez-vous au **13**.

Enlever une planche de la fenêtre, comme le propose Rémi ? (Donc, entrer par effraction.) Rendez-vous au **67**.

Essayer de trouver un trou pour regarder à l'intérieur, comme le suggère Julie ? (Rappelez-vous que les murs sont solides, que la porte est cadenassée et la fenêtre bouchée.) Rendez-vous au **33**.

Partir, comme le conseille Thomas ? Rendez-vous au **54**.

Si vous avez besoin d'un indice, rendez-vous au **29**.

—————————— **21** ——————————

Sherlock-Note

Vous obtenez 2 points si vous avez déchiffré le message du premier coup.

0 point si vous vous êtes trompé ou si vous avez eu besoin d'aide.

– *JE PARS PÊCHER A LA BERGERIE. A BIENTÔT. RÉMI.* Voilà son message, déclare Julie.

Julie est l'expert en code de la Bande des Quatre.

– Mais ça n'a aucun sens ! dis-je.

– Idiot ! ricane Julie.

– Ah, vraiment ? dis-je. On n'attrape pas de poisson dans une bergerie, que je sache !

Comprenez-vous le message ?

Si vous pensez qu'il y a une erreur dans le message, rendez-vous au **71**.

Si vous pensez que Rémi est parti pêcher, rendez-vous au **10**.
Si vous pensez que Rémi est devenu fou, rendez-vous au **85**.

22

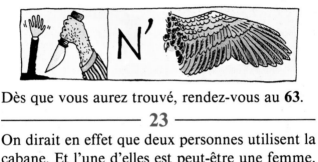

Dès que vous aurez trouvé, rendez-vous au **63**.

23

On dirait en effet que deux personnes utilisent la cabane. Et l'une d'elles est peut-être une femme. Mais, de là à conclure à un enlèvement romantique... Retournez au **87** et réfléchissez.

24

C'est peut-être votre opinion, mais ce n'est pas une preuve. Retournez au **19** et essayez une autre possibilité.

25

Exact ! Mais que feriez-vous ? Dès que vous aurez trouvé la solution, rendez-vous au **76**. Si vous avez besoin d'un indice, rendez-vous au **83**.

26

Fausse piste ! Retournez au **45** et recommencez.

Sherlock-Note

Vous obtenez 2 points si vous avez trouvé.
0 point si vous n'avez pas trouvé !

– Je l'ai caché sur les étagères, ici, derrière les autres livres ! déclare Valentin.

– Le livre était supposé avoir disparu de la bibliothèque, explique Melba. Et nous pensions que personne ne viendrait la fouiller. Il n'y avait aucune raison.

– La cachette parfaite ! s'exclame Thomas plein d'admiration pour ce trait de génie.

– Nous sommes peut-être de médiocres artistes, mais cela ne signifie pas que nous ne sommes pas intelligents, rétorque Coco, visiblement blessé.

– Ce n'est pas ce qu'il a voulu dire, Co... M. Cadix, répond rapidement Julie.

– Nous sommes vraiment désolés, dis-je.

Et je le pense vraiment. J'aurais préféré qu'on ne les démasque pas. Ils sont si gentils.

– Nous n'avons voulu faire de mal à personne, ajoute Melba tristement. Personne n'aurait souffert dans cette histoire.

– Excepté la compagnie d'assurances, réplique Rémi. C'est de la fraude !

– Prochain spectacle, la prison ! s'exclame Coco.

– Je me demande s'ils me laisseront chanter, s'inquiète Melba.

– Coudre des sacs postaux à mon âge ! s'écrie Valentin.

– Une fraude est une fraude, fait observer Rémi. On n'y peut rien.

– C'est oublier qu'ils n'ont rien fait ! intervient Thomas tout à coup.

Tout le monde est surpris.

– Mais ils sont pourtant coupables ! déclare Rémi. Nous les avons pris la main dans le sac.

– Rien n'a disparu, poursuit Thomas. Personne n'a été volé, pas même la compagnie d'assurances. Les seuls qui ont l'air stupide dans cette histoire, c'est nous. Et nous allons garder le silence sur cette affaire, n'est-ce pas ?

– C'est un délit ! dit Rémi, cependant un peu hésitant.

– Si le père de Thomas savait ça... marmonne Julie.

– Il ne sait rien ! rétorque Thomas.

– Alors, pas de crime... pas de criminels ! conclut Rémi. C'est cela ?

– Exact ! s'écrie joyeusement Thomas.

Coco, Melba et Valentin sont ravis. Qui ne l'aurait été à leur place ! Melba embrasse Thomas bien fort et j'évite de justesse ses effusions !

– Tout cela ne résout pas vos problèmes d'argent, constate Thomas une fois que tout le monde s'est un peu calmé. Allez-vous vendre le *Livre du corbeau* ?

Melba a l'air effondrée.

– Je crois qu'elle y sera bien obligée, dit Valentin. Dommage, ma douce !

– Il y a une autre possibilité ! s'écrie Julie. Avez-vous pensé au... trésor ?

– Tu ne vas pas recommencer ! grogne Thomas.

– Ne faites pas attention à elle, dis-je à Valentin. C'est une dingue des chasses au trésor !

– Elle voudrait qu'on aille à l'Anneau du Corbeau pour y déterrer un trésor ! explique Rémi.

– Non, ce n'est pas cela, rétorque Julie. J'ai une autre idée !

– Quelle idée, ma chérie ? demande Melba.

Je pense que Melba ne pose cette question que par pure politesse. Personne, en effet, ne s'attend à ce que Julie trouve vraiment le trésor du corbeau, même s'il existe.

– C'est l'« anneau dans les anneaux », précise Julie. Vous savez, dans l'énigme :

Où les corbeaux se perchent
Et l'oiseau chante sa chanson
Cherche et trouve
Mon anneau dans les anneaux.

– Je vous l'avais bien dit ! déclare Rémi. Elle veut qu'on aille fouiller les ruines.

– Pas l'Anneau du Corbeau, rétorque Julie. Je ne crois pas que le trésor y soit. Je pense plutôt qu'il est ici, dans le château. « Où les corbeaux se perchent », cela veut bien dire : où les corbeaux vivent, n'est-ce pas ? Et, sur les armoiries de la famille de Melba, il y a trois corbeaux qui sont représentés partout dans le château...

– Tu as raison, ma chérie ! dit Melba. Elle a raison, vous savez ! ajoute-t-elle, tout à coup pleine d'espoir.

– Enfin, jusqu'à présent ! lance Rémi.

Apparemment, il pense que Julie délire complètement.

– « Et l'oiseau chante sa chanson », continue Julie. La légende parle bien de la fille du Corbeau Noir, le fantôme chantant ? On dit qu'il chante comme chantait la jeune fille, le rossignol du Corbeau Noir, c'est bien ça ?

– C'est exact ! répond Thomas.
– Si vous croyez aux contes de fées ! s'exclame Rémi.
– Tais-toi un peu, Rémi, dis-je.
J'ai envie de connaître le fin mot de l'histoire et Rémi m'énerve avec ses réflexions logiques. Thomas a raison. Un vrai détective doit parfois faire preuve d'imagination. Et Julie n'en manque pas !
– Continue, bout de chou ! lui dit Coco. Ton histoire est plutôt intéressante !

– Où chantait-elle ? poursuit Julie. Dans sa chambre, bien sûr. Et sa chambre est dans la tour hantée, non ? Et, dans la chambre de la tour hantée, il y a un anneau dans les anneaux !

Personne ne la croit vraiment jusqu'au moment où la cachette est mise au jour... ainsi que le trésor !

Chasse au trésor !

> *Où les corbeaux se perchent*
> *Et l'oiseau chante sa chanson*
> *Cherche et trouve*
> *Mon anneau dans les anneaux.*

Pouvez-vous trouver la cachette dans la chambre de la tour hantée ? Observez bien l'illustration du **8**.

Rendez-vous au **51** quand vous l'aurez découverte.

 JEU

 PAS + R = PARS

 PÊCHEUR – U = PÊCHER

JE PARS PÊCHER est la première ligne du message. Rendez-vous au **76**.

29

Observez attentivement chaque détail de l'illustration... la porte, la fenêtre, les murs... rien d'autre ? Maintenant, retournez au **20** et faites votre choix.

30

Fausse piste ! Retournez au **45** et recommencez.

31

Fausse piste ! Retournez au **88**.

32

Fausse piste ! Retournez au **90** et réfléchissez.

33

Ce n'est pas un crime de regarder à travers un trou. Vous avez donc raison, mais il faut maintenant le trouver ! Découvrez-le dans la deuxième illustration du **20**, puis rendez-vous au **87**.

34

Valentin peut se porter garant de l'alibi de Melba. Retournez au **38**.

35

Fausse piste ! Rendez-vous au **57** et recommencez.

———————— 36 ————————

Vous recevez une superbe *Tarte à la crème*!
Réfléchissez et retournez au **21**.

———————— 37 ————————

Sherlock-Note

Vous obtenez 3 points pour avoir déchiffré le message.
0 point pour chaque ligne que vous n'avez pas réussi à
décoder.

JE SUIS ALLÉ/CRIQUE TONNEAU/ENQUÊ-
TER. RÉMI.
JE SUIS ALLÉ A LA CRIQUE DU TONNEAU
POUR ENQUÊTER. RÉMI.

– Mais où est-il ? dis-je.
Nous nous sommes précipités à la crique du Tonneau pour rejoindre Rémi mais, à notre arrivée,
aucun signe de sa présence.
– Rémi ! crie Thomas.
Sa voix fait écho entre les petites cabanes en
ruine.

– A quoi joue-t-il ? demande Thomas.

– Je n'en sais rien ! répond Julie.

– Je sais ! dis-je. Il est en train d'essayer...

Pouvez-vous trouver Rémi ?

Étudiez attentivement l'illustration de la page suivante.

Si vous pensez l'avoir trouvé, rendez-vous au **57**.

Si vous croyez qu'il n'est pas sur l'illustration, rendez-vous au **18**.

Si vous avez besoin d'aide, rendez-vous au **81**.

--------- **38** ---------

Sherlock-Note

Vous obtenez 6 points si vous avez deviné du premier coup.

Enlevez 1 point pour chaque erreur et 1 point si vous avez eu besoin d'un indice.

Marquez 0 point si vous n'avez pas trouvé.

– Valentin Avril est ventriloque ! s'exclame Thomas.

Rémi le regarde, bouche bée.

– Charlie était une poupée ! poursuit Thomas. Vous ne comprenez pas ? Tout cela explique comment elle a disparu de la chapelle Saint-André. Charlie n'a jamais été là-bas : il n'y avait que sa voix.

Valentin s'arrête de rire.

– Tonneau... attirail, dit-il lentement.

Puis il se met à parler de plus en plus vite, mais sans bouger les lèvres.

– Tonneau, attirail, tonneau, attirail...

Je regarde Julie. La voix qu'utilise Valentin le ventriloque résout un autre problème... En effet, c'est une voix aiguë, pas du tout celle d'un homme.

– Vous devez chanter dans votre numéro? demande Julie.

– Pas moi, rétorque Valentin. C'est Charlie qui chante.

Valentin et Melba éclatent de rire.

– Vous êtes déjà passé à la télé? s'enquiert Rémi, l'air de rien.

– Bien sûr! répond Valentin. Mais pas autant que Melba. C'était elle la grande vedette!

– Tu étais merveilleux, Valentin! s'exclame Melba. Je t'ai toujours admiré.

– Merci, dit Valentin. Je continue à m'entraîner. Mais je le fais tout seul maintenant, jamais plus en public. Je n'aime pas ennuyer les autres.

– C'était vous notre fantôme! déclare tout à coup Julie.

– Quoi? fait Melba.

Julie lui raconte alors toute l'histoire.

Melba et Valentin éclatent de rire à nouveau. Coco vient bientôt les rejoindre et se met à rire lui aussi. Ils pensent tous que nous sommes de drôles d'enfants.

– Ce fut une conversation très intéressante, lance

soudain Thomas. Au moins, nous savons maintenant qui est l'Homme en rouge.

Je le regarde, interloqué.

– Maurice Molidor ? demande Julie, visiblement
perplexe.

– Mais non, pas Maurice ! rétorque Valentin.

– Ça ne peut pas être Maurice ! renchérit Melba.

– N'accusez pas Maurice ! ajoute Coco.

Ils parlent tous en même temps et ils prennent un
air gêné.

– Je ne sais pas ce que vous avez en tête, les
enfants, dit Coco, mais, qui que soit l'Homme en
rouge, ce ne peut pas être l'un de nous.

– Ah bon, et pourquoi ? demande Julie.

– Parce que nous avons tous des alibis, répond
Coco. Je suis l'alibi de Valentin et de Maurice.
J'étais avec eux quand l'Homme en rouge est
apparu pour la première fois.

– C'est vrai ! dit Melba. Et j'étais avec Valentin
quand l'Homme en rouge est apparu une autre
fois.

– Et moi, j'étais avec Melba et Maurice, ajoute
Valentin.

– En quelque sorte, vous vous servez tous
mutuellement d'alibis.

Je suis en train d'essayer de noter tout cela dans
mon calepin M.T.S. quand Thomas se tourne
vers moi et déclare :

– Ne t'embête pas avec tous ces alibis, nous
savons qui est l'Homme en rouge !

Qui est l'Homme en rouge ?

Si vous pensez que c'est Valentin Avril, rendez-vous au **3**.

Si vous pensez que c'est Maurice Molidor, rendez-vous au **59**.

Si vous pensez que c'est Coco Cadix, rendez-vous au **84**.

Si vous pensez que c'est Melba Mour, rendez-vous au **34**.

Si vous pensez que c'est Charlie, rendez-vous au **75**.

Si vous avez une autre idée, rendez-vous au **11**.

Si vous pensez que l'un des cinq suspects mentionnés ci-dessus ment au sujet de son alibi, rendez-vous au **48**.

39

Tarte à la crème !
Vous n'avez aucune
preuve pour démontrer
votre théorie.
Retournez au **87**
et réfléchissez.

40

... NNE ! Voici le second indice ! Que vous trouviez ou non, rendez-vous au **19**.

41

Fausse piste ! Retournez au **45**.

Fausse piste ! Ce n'est pas une mauvaise idée, mais il y a un moyen bien plus simple. Retournez au **8** et réfléchissez.

Fausse piste ! Retournez au **89**.

Sherlock-Note

Vous obtenez 2 points si vous avez repéré Valentin Avril.

0 point dans le cas contraire.

– Il est en train de passer par la fenêtre de la vieille chapelle Saint-André, constate Julie. Mais pour quoi faire ?

– Rémi le suit de près, dis-je.

– Grâce à l'Équipement de Camouflage, reconnaît Thomas. Ça marche vraiment bien !

– Qu'est-ce qu'on fait ? demande Julie.

– On y va et on le suit ! dis-je. Mission de Surveillance pour la Bande des Quatre !

– Non, répond Thomas.

– Et pourquoi ?

– Parce que nous n'avons qu'un seul Équipement de Camouflage, rétorque Thomas. Rémi s'en sortira très bien. Si nous y allons, nous risquons de tout faire échouer.

– Mais c'est moi l'expert en filature ! déclare Julie.

– Je suis le meilleur ! dis-je.

– Allons plutôt dans la chambre de la tour hantée. On le surveillera de là, propose Thomas.

Je jette un regard à Julie.

– Euh... vas-y, toi, Thomas, bredouille Julie. Anatole et moi avons...

– ... des choses à faire, dis-je pour finir sa phrase.

– ... peur ! conclut Thomas, en souriant. C'est ça ! Vous avez peur de rencontrer un fantôme chantant pour son papa !

– Ce n'est pas vrai ! rétorque Julie.

– Si, c'est vrai, dis-je.

Et je raconte à Thomas que nous avons entendu

quelqu'un chanter dans la tour hantée, pensant qu'il y serait sensible. Nous avons une preuve évidente de l'existence du fantôme et cela fait de nous la meilleure équipe de détectives.

Thomas se moque de moi, ce qui me rend furieux !

– Hé ! s'écrie Julie tout à coup. Venez voir. Rémi nous envoie des signaux !

– Que dit-il ? demande Thomas.

Julie et moi lisons le message lentement.

Pouvez-vous déchiffrer les signaux ?
Prenez votre temps, puis rendez-vous au **90**.

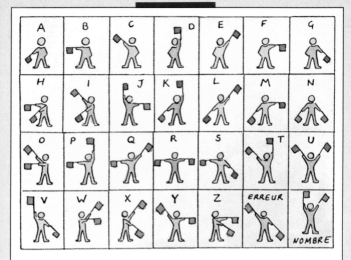

Sherlock-Note

*Vous obtenez 3 points si vous avez compris immédiate-
ment qu'aucune des théories avancées ne pouvait être
prouvée.*

*2 points seulement si vous avez pensé aux campeurs en
premier !*

0 point si vous avez reçu une Tarte à la crème *dans la
figure.*

– Avec les éléments dont nous disposons, je ne
vois qu'une seule chose sensée à dire à mon père,
c'est que nous ne savons rien, dit Thomas.
– Mais... proteste Julie.
– Je suis d'accord, répond Rémi.

NOTES D'OBSERVATION SUR LA CABANE
DE LA CRIQUE AU TONNEAU.

Prises par A. Lardon (M.B.4), poète!
Porte cadenassée pour empêcher d'entrer...
                    Pourquoi?
Fenêtre barricadée... Pourquoi?
Tout en double... deux personnes?
Pas de nourriture ni d'eau...?
Un réchaud à gaz et une bouilloire...
            propre! Utilisés!
Le plan de la Cabane... Plan de circuits
électriques?
Trace de pneus de moto... moto?
Coco Cadix a-t-il essayé de nous éloigner
de la crique au Tonneau?

– Avant de téléphoner à mon père, ou même avant de penser à lui téléphoner, il nous faut une piste solide pour continuer notre enquête, explique Thomas.
– Il nous faut des faits et des détails! lance Rémi.

– Fait numéro un, déclare Thomas, il y a quelque chose de louche ici. Il se passe des choses étranges, je serais prêt à parier mes économies.

– Ça, c'est une opinion, rétorque Rémi. Ce n'est pas un fait !

– Fait numéro deux, poursuit Thomas, Coco Cadix a essayé d'induire Julie en erreur en lui disant que ce lieu était dangereux. S'il y a des chutes de pierres, c'est de l'autre côté du château, pas ici. Il faut donc se méfier de Coco.

– Tu crois qu'il est en cheville avec l'Homme en rouge ? demande Julie. Ce n'est pas possible. Il est trop gentil.

– C'est peut-être un acteur très malin. Il pourrait très bien nous jouer la comédie tout en projetant de voler le *Livre du corbeau* avec son complice.

– Ils pourraient tous le faire, objecte Julie qui répugne encore à accuser Coco. Je veux dire que ça pourrait être n'importe lequel d'entre eux... du moment qu'il y a quelqu'un à l'intérieur du Château Croulant.

– Ils sont tous suspects, déclare Thomas. Mais nous n'avons pas de preuves, n'est-ce pas ?

Nous remontons le chemin qui mène au château. Il n'y a aucune trace de chute de pierres, ce qui laisse planer des doutes sur l'innocence de Coco. J'arrive en haut le premier car je suis vraiment le plus rapide. J'aperçois Valentin Avril en train de faire du ciment. J'en profite pour lui poser quelques questions.

– La crique du Tonneau ? demande Valentin.

– Oui, dis-je. Les vieilles cabanes de pêcheurs.

– Ce sont des ruines.

– Vous n'y êtes jamais allé ? dis-je.

– J'ai déjà assez de problèmes avec cette ruine-là ! rétorque-t-il en vidant son sac de ciment.

– Vous n'avez pas peur des chutes de pierres ? dis-je.

– Des chutes de pierres ? répète-t-il en plantant sa truelle dans le ciment.

– Coco a dit qu'il y avait des chutes de pierres, poursuis-je.

Valentin en perd presque l'équilibre.

– Eh bien... si Coco le dit, ce doit être vrai, répond Valentin.

Coco a sûrement dû être un bon acteur, mais pas Valentin. Je suis sûr qu'il ment !

– Ils sont tous les deux dans le coup ! dis-je à Thomas. Coco et Valentin. Ce sont eux qui utilisent la cabane...

– Il y avait bien tout en double ? fait observer Julie.

– C'est vrai ! dis-je.

Je pars à la recherche des autres pour leur poser des questions. Le seul que je réussisse à trouver est Maurice Molidor, occupé à une tâche mystérieuse. Il se promène dans la cour du château.

– La crique du Tonneau, dis-je.

Maurice ressemble un peu à un tonneau lui-même !

– Quoi ?

– Est-ce que vous savez quelque chose sur la crique du Tonneau ?

– Comment ? fait Maurice en portant la main à son oreille.

– La crique du Tonneau ! dis-je en hurlant.

– Qui ? demande-t-il.

– Ça ne fait rien, dis-je.

Tandis que Maurice s'éloigne, toujours en se dandinant, je note sur mon calepin M.T.S. : « Maurice Molidor est-il vraiment sourd ? »

Je décide d'aller retrouver les autres. Ils sont avec Melba dans la tour hantée.

La légende raconte que c'est la fille du Corbeau Noir qui hante cet endroit. Le Corbeau Noir était parti pour les croisades où il fut tué par un Turc. Sa fille favorite ne bougeait pas du château et attendait son retour. Il ne lui avait jamais révélé où se cachait le trésor et c'est pourquoi elle avait décidé de devenir un fantôme. Tout ce que le Corbeau Noir lui avait laissé, c'était une curieuse petite devinette qui devait lui être remise pour ses vingt et un ans. Mais la pauvre mourut avant et personne depuis n'a pu deviner le sens de cette énigme. La voici :

> *Où les corbeaux se perchent*
> *Et l'oiseau chante sa chanson*
> *Cherche et trouve*
> *Mon anneau dans les anneaux.*

Je m'empresse de l'inscrire dans mon calepin M.T.S. ; Julie et moi pensons en effet qu'il s'agit d'un autre mystère à résoudre pour la Bande des Quatre. Si nous parvenons à en trouver la solution, nous deviendrons célèbres, car cette énigme reste incompréhensible depuis des siècles. Rémi dit que ce ne sont que des bêtises, il ne croit pas à ces histoires de fantômes qui se promènent dans les vieilles tours en chantant pour leur papa.

Nous avons trouvé cette énigme dans le guide du château que nous a donné Melba. C'est plutôt gentil de sa part car le guide coûte presque dix francs, et cela représente beaucoup d'argent de poche pour nous.

Nous parlons de la cabane à Melba, mais nous ne lui disons pas que Coco a essayé de nous empêcher d'y aller ; nous ne lui faisons pas non plus part de mes doutes au sujet de Valentin.

Melba est tout excitée et, dans son élan, elle demande à Thomas de faire revenir son père.

– Il est tellement adorable ! s'exclame-t-elle. Il devra me croire à présent !

– Oui... bredouille Thomas.

– Cela confirme mon histoire, n'est-ce pas ? dit-elle, les yeux pétillants. D'horribles voleurs ayant leur cachette à deux pas de mon château sont en train de mijoter un plan pour me voler mon livre, pour m'assassiner, qui sait ! Ils vont venir nous tuer dans nos lits !

Pour quelqu'un qui se sent près de mourir, elle n'a pourtant pas l'air vraiment effrayé.

– Nous avons besoin d'autres faits, Mme Mour, déclare Rémi.

– Appelez-moi Melba, répond Mme Mour. Le monde entier m'appelle Melba. J'étais très connue, vous savez. Vous auriez dû me voir en pleine gloire... avec Maurice qui jouait du piano, Valentin et Charlie...

– Charlie ? dis-je.

C'est la première fois que nous entendons prononcer ce nom.

– ... Et maintenant il ne me reste presque plus rien, ajoute-t-elle. Rien qu'un petit château.

J'essaie d'en savoir plus sur Charlie, mais en vain. Melba ne cesse plus de parler et nous parvenons à grand-peine à nous en débarrasser.

– Ouf ! soupire Rémi en se laissant tomber sur son sac de couchage. J'ai bien cru qu'elle ne cesserait jamais de jacasser !

– Elle est persuadée que l'Homme en rouge va venir lui voler son livre, dis-je.

– Il n'y a pas grand-chose d'autre à voler ici ! s'exclame Rémi. Après tout, le père de Thomas a peut-être raison. L'Homme en rouge est peut-être tout simplement un idiot qui se balade avec une cape rouge... On va se couvrir de ridicule si on continue à fouiner partout en suspectant tout le monde !

– Je préfère me couvrir de ridicule en suspectant

un crime plutôt que de le laisser se produire, rétorque Thomas. Nous savons que quelqu'un rôde dans les parages. Anatole l'a vu, ainsi que les autres témoins. Nous savons également que Coco nous raconte des histoires et que Valentin essaie de le couvrir...

– Pas le vieux Valentin ! proteste Julie.

– Tout ça parce qu'il a admiré ta vieille casquette ! déclare Rémi. Tous les gens du spectacle sont ainsi ! Ils disent que tout est merveilleux... même s'ils ne le pensent pas toujours.

– Moi, je ne crois pas que Valentin veuille voler le livre de Melba ! marmonne Julie. Melba va dépenser tout l'argent qu'elle récupérera de sa vente pour construire une maison où tous pourront vivre. Je ne vois pas pourquoi Valentin essaierait de l'en empêcher.

– Pour garder tout l'argent pour lui, répond Rémi. Pas besoin de faire Polytechnique pour savoir ça !

Julie réfléchit un moment.

– C'est peut-être le trésor qu'ils cherchent ! lance-t-elle soudain. Celui de l'« anneau dans les anneaux ». Peut-être que Valentin ou Coco ou bien les deux l'ont trouvé...

– Oui, bien sûr ! s'exclame Rémi.

– Il y a certainement un trésor ! persiste Julie. Après tout, vous ne pouvez pas prouver le contraire.

– Et un fantôme qui court après ? poursuit Rémi.

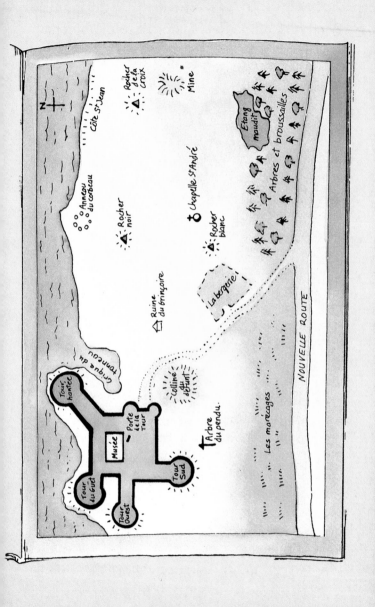

Rémi ne croit pas aux fantômes. Moi non plus...
dans la journée !

– D'ailleurs, j'ai ma petite idée sur l'endroit où le
trésor du Corbeau Noir pourrait être caché,
reprend Julie en nous montrant la carte dans le
guide.

– L'Anneau du Corbeau, précise-t-elle. C'est le
monument historique sur le promontoire. Ce
sont des sortes de menhirs qui forment un
anneau !

– L'anneau dans les anneaux ? demande Thomas
en regardant par-dessus l'épaule de Julie.

– Oui, peut-être bien, dit Julie.

– Si les corbeaux se perchent là...

– On dirait un jeu de donjons et dragons, fait
remarquer Thomas.

– Melba croit au trésor !

– Elle veut y croire ! précise Thomas. Elle a
presque fondu en larmes, hier, en parlant de
vendre son livre.

– Tu aurais fait la même chose si c'était un vieil
héritage de ta famille, déclare Julie.

– Comme la friteuse de mon père ! dis-je.

Notre père tient une baraque de frites, et sa friteuse est très ancienne.

– Ceci est une affaire sérieuse, lance Thomas. Et
ce pourrait être grave pour Melba si deux ou trois
de ses « amis » projetaient de lui voler son livre...

– Les principaux suspects sont Coco, Valentin et
Maurice Molidor ! dis-je. Plus l'abominable

Homme en rouge, si nous parvenons à lui mettre la main dessus.

– Ça ne va pas être facile, rétorque Julie, pas très emballée par cette idée.

– Attendez une minute, s'écrie Thomas. Je viens de trouver quelque chose ! J'en suis sûr ! Fais-moi voir ton calepin M.T.S., Anatole, vite !

Thomas prend le bloc-notes et le pose sur la table, ouvert à la page des informations sur la cabane de la crique du Tonneau. Puis il place à côté la carte du guide.

– J'ai trouvé ! dit-il.

– Quoi ? demande Rémi, tout à coup réveillé.

– Il y a un lien entre une des informations d'Anatole et cette carte, explique Thomas. C'est aussi simple que deux et deux font quatre... non, pardon, que cinq et cinq font dix !

Quelle information d'Anatole a un rapport avec la carte du guide ?

Si vous pensez...

A la fenêtre barricadée, rendez-vous au **15**.

Que tout est en double (deux personnes), rendez-vous au **26**.

A l'absence d'eau et de nourriture, rendez-vous au **30**.

Au réchaud à gaz propre et à la bouilloire, rendez-vous au **41**.

Au plan de la cabane, rendez-vous au **53**.

A la trace de la moto, rendez-vous au **62**.

A Coco Cadix, rendez-vous au **65**.
A Valentin Avril, rendez-vous au **6**.
A Maurice Molidor, rendez-vous au **74**.

Si vous pensez qu'aucune de ces informations n'a un rapport avec la carte, rendez-vous au **86**.
Si vous pensez que la carte a un rapport avec l'énigme du Corbeau, rendez-vous au **78**.

———————— **46** ————————
« Un tonneau d'attirail... tonneau d'attirail... »
Valentin parle à lui-même sans bouger les lèvres.
Cela vous donne encore un indice. Dès que vous aurez trouvé, rendez-vous au **38**.

———————— **47** ————————
Trouvez la clef qui vous permettra de décadenasser ce mystère. Rendez-vous au **37** et observez bien l'illustration, puis retournez au **57** et reconsidérez toutes les possibilités.

———————— **48** ————————
Fausse piste ! Ils disent tous la vérité ! Retournez au **38** et réfléchissez.

———————— **49** ————————
Exact ! Une personne ne peut pas être en deux endroits à la fois. Alors ? Essayez de résoudre l'énigme, puis rendez-vous au **88**.

50

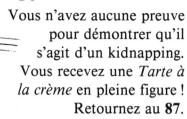

Vous n'avez aucune preuve pour démontrer qu'il s'agit d'un kidnapping. Vous recevez une *Tarte à la crème* en pleine figure ! Retournez au **87**.

51

Sherlock-Note
Vous obtenez 2 points si vous avez trouvé la cachette !

Le père de Thomas vient nous chercher en voiture. Nous nous installons tous à l'intérieur.

– Qu'est-ce que tu as là, Thomas ? lui demande son père.

– Un vrai trésor, papa ! répond Thomas en ouvrant une énorme boîte de bonbons que nous a donnée Melba.

– Oh non ! soupire le père de Thomas. Vous allez être malades dans la voiture !

Mais tout le monde a déjà la bouche pleine et personne ne lui répond.

– Enfin, cette fois, au moins, vous n'avez pas été pris dans un de vos mystères de la Bande des

Quatre ! déclare le père de Thomas. Pas de crime, pas de criminels, rien que les vacances !

– C'est vrai, papa ! dit Thomas en dévorant sa barre de chocolat. Rien que des fantômes, un trésor, un Homme en rouge et des tunnels secrets... rien que le train-train habituel pour nous !

Puis nous éclatons tous de rire... mais le père de Thomas ne saura jamais pourquoi !

Rendez-vous maintenant à la dernière page... pour savoir si vous êtes un bon détective !

———————————— **52** ————————————

= ENQUÊTER

RE ÉT MI = RÉMI

Rendez-vous au **1**.

———————————— **53** ————————————

Exact ! Si vous savez pourquoi, rendez-vous au **89**. Si vous avez besoin d'aide, rendez-vous au **93**.

———————————— **54** ————————————

Fausse piste ! Thomas est nerveux parce qu'il a peur d'être réprimandé par son père. Retournez au **20**.

———————————— **55** ————————————

Fausse piste ! Retournez au **8**.

Sherlock-Note

*Vous obtenez 2 points si vous avez trouvé le sens du
message.*

1 point si vous avez reçu une seule Tarte à la crème
dans la figure.

0 point si vous nagez dans les Tartes à la crème *!*

– C'est Valentin Avril ! s'écrie Julie. Avril
comme le poisson ! Rémi a dû le repérer en train
de faire quelque chose à la bergerie...

– En train de cacher la cape de l'Homme en
rouge ! dis-je.

– Oui, c'est cela ! acquiesce Julie. Nous savons
qu'il est l'Homme en rouge parce qu'il n'était pas
là quand on a vu l'Homme en rouge et...

– Nous ne savons rien du tout, rétorque Thomas.
Et que pensez-vous de Charlie ?

– Comment ?

– La partenaire de Valentin Avril, précise Thomas. C'est Melba qui en a parlé et son nom figure
sur l'affiche dans le musée « Valentin Avril et
Charlie ». Vous avez donc les yeux dans vos
poches ?

– Tu crois que Charlie pourrait être l'Homme en
rouge ?

– N'importe qui pourrait être l'Homme en
rouge, répond Thomas. Je suis juste en train d'essayer de vous rappeler qu'on ne peut pas accuser

les gens simplement parce qu'ils auraient pu faire telle ou telle chose !

Nous grimpons en haut de la tour de la porte pour repérer Rémi.
– Je le vois ! dis-je. Mais où est Valentin ?
– Le voilà ! s'écrie Julie. Je vois juste ses doigts !

Avez-vous repéré ses doigts ?

Dès que vous avez repéré les doigts de Valentin Avril, rendez-vous au **44**... Cherchez Rémi, cela pourrait vous aider !

———————— 57 ————————

Sherlock-Note

Vous obtenez 3 points si vous avez trouvé Rémi.
Enlevez 1 point si vous avez eu besoin d'aide et 1 point si vous avez reçu une Tarte à la crème.

– Mais pourquoi t'es-tu déguisé en Dracula ? demande Thomas à Rémi.

– C'est l'Équipement de Camouflage de la Bande des Quatre ! dis-je. C'est Rémi qui y a pensé, et moi, j'ai fait la peinture.

– On dirait plutôt un sac poubelle, constate Thomas. Vous auriez pu au moins prendre un imper en plastique à votre taille.

– C'est justement l'astuce ! répond Julie. Ce n'est pas fait pour être seyant. C'est un vieil imper de papa, il est destiné à recouvrir n'importe qui de la tête aux pieds. Anatole a fait des taches de peinture dessus afin qu'on se confonde avec la nature quand on est en mission de surveillance.

– Ça ne marchera jamais, déclare Thomas.

– Mais ça vient de marcher ! rétorque Rémi. Vous ne m'avez pas repéré, et vous saviez pourtant que j'étais là.

– Ce n'est peut-être pas une mauvaise idée, reconnaît Thomas, un peu vexé.

– Tout ça parce que ce n'est pas toi qui y as pensé ! marmonne Julie.

– J'aime me concentrer sur une enquête sérieuse, répond Thomas.

– Dans ce cas, tu auras sans doute repéré quelque chose de louche dans la crique du Tonneau, lui dit Rémi.

– Cet endroit est censé être complètement abandonné ? Un lieu où personne ne va à cause des chutes de pierres ?

– C'est ce que m'a affirmé Coco avec sa grosse voix, précise Julie.

– Il n'y a aucun caillou ! s'écrie Thomas. S'il y a eu des chutes de pierres pendant des années, où sont donc passées toutes les pierres ?

– Tu as mis dans le mille ! réplique Rémi. Mais tu aurais pu remarquer autre chose : quelqu'un utilise cet endroit.

– Et comment le sais-tu ? demande Thomas.

– C'est toi le brillant détective ! s'exclame Rémi. A toi maintenant de nous montrer tes talents !

Thomas se met alors à regarder autour de lui. Julie et moi faisons de même. Mais il n'y a pas grand-chose à observer. Seulement les petites cabanes de pêcheurs en ruine, le ponton et quelques rochers dans la mer et de vieilles boîtes de conserve rouillées sur le rebord d'une fenêtre. Quelqu'un a abandonné un vieux bateau dont le fond est crevé. Je remarque aussi une seule trace de roue près d'une cabane. Je ne sais pas vraiment si cet indice a de l'importance ou non. Le chemin qui longe la côte disparaît sous les herbes : apparemment il n'est jamais utilisé. La marque du pneu est profonde et, tout autour, il n'y a aucune herbe qui pousse... C'est le genre de détail que remarque Rémi, mais je ne suis pas convaincu de son importance.

– J'ai trouvé ! s'écrie tout à coup Thomas.

– J'étais sûr que tu y arriverais, dit Rémi. Mais, pour un grand détective, tu as tout de même été un peu lent !

Et vous, avez-vous trouvé ?

Observez l'illustration du **37** :

Si vous pensez que l'indice de Rémi a un rapport avec...

Les boîtes de conserve rouillées, rendez-vous au **17**.

Le vieux bateau, rendez-vous au **35**.

La trace de pneu, rendez-vous au **94**.

Si vous pensez qu'il s'agit d'autre chose, rendez-vous au **80**.

Si vous avez besoin d'aide, rendez-vous au **47**.

———————— **58** ————————

Vous ne pouvez pas éviter la *Tarte à la crème* ! Rien ne laisse croire que des prisonniers sont en fuite. Retournez au **87** et réfléchissez.

Valentin et Coco peuvent se porter garants de l'alibi de Maurice. Retournez au **38**.

Non, mais vous êtes sur la bonne voie. Retournez au **89**.

Un homme ? Peut-être... mais, après tout, vous n'en savez rien. Vous évitez de peu la *Tarte à la crème* ! Retournez au **19** et réfléchissez.

Fausse piste ! Retournez au **45**.

Sherlock-Note

Vous obtenez 4 points si vous avez compris que le plan de la cabane est celui d'un réseau de tunnels qui passent sous le Château Croulant et qui débouchent sur le promontoire.

3 points si vous pensiez que les tunnels passaient seulement sous le Château Croulant.

Enlevez 1 point pour chaque erreur.

0 point si vous avez fait plus de 3 erreurs.

– Je crois qu'il s'agit d'un réseau de tunnels secrets qui passent sous le Château Croulant ! s'écrie Julie, tout excitée.

– Non ! répond Thomas. Pas uniquement sous le château. Ce n'est qu'une partie du plan de la cabane. L'autre partie, où sont marqués les numéros 6, 7, 8, est un tracé des tunnels qui partent du château et qui débouchent sous le promontoire.

– Où débouchent-ils précisément ? demande Julie.

Où débouchent les tunnels ?
Les tunnels se dirigent vers trois endroits sur le promontoire... Choisissez-les dans la liste ci-dessous :
La chapelle Saint-André
L'arbre du Pendu
La crique du Tonneau
Le rocher de la Croix
Le rocher Noir
Le rocher Blanc
La colline du Défunt
La bergerie
La côte Saint-Jean
L'étang Maudit
L'anneau du Corbeau
Les ruines du Grinçoire
Le marécage

Suggestion d'Anatole : deviner est risqué !
Observez bien la carte du **45**. Quand vous aurez trouvé, rendez-vous au **8**.

+1   HABITS + 1

T~~ARD~~   LE CONTRAIRE DE TARD = TÔT

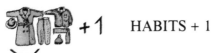   RÉ + MI = RÉMI

A BIENTÔT RÉMI est la dernière ligne du message. Rendez-vous au **76**.

65

Fausse piste ! Retournez au **45**.

66

Exact... mais quel rapport y a-t-il entre la crique du Tonneau et le mot attirail ? Réfléchissez bien au problème, qui n'a pourtant rien de sorcier, puis rendez-vous au **38**. Vous avez besoin d'un indice ? Rendez-vous au **46**.

67

Fausse piste ! Vous pourriez être interpellé par la police si vous entriez par effraction. Retournez au **20**.

68

Vous recevez une énorme *Tarte à la crème* dans la figure ! Retournez au **90**.

Sherlock-Note

Vous obtenez 4 points si vous avez compris que le cadenas ne sert qu'à attirer l'attention sur la cabane !
Enlevez 1 point pour chaque erreur commise.
0 point si vous avez reçu une Tarte à la crème *dans la figure !*

– Le cadenas ne sert qu'à attirer l'attention sur la cabane, comme la cape rouge attire l'attention sur l'Homme en rouge ! dis-je. Si quelqu'un voulait garder secret le fait que la cabane est utilisée, il ne mettrait certainement pas un cadenas tout neuf sur la porte. Ce serait trop facile.

– Génial ! s'exclame Thomas. Dommage que le génie ne soit pas plus répandu dans la famille Lardon.

– Quoi ? demande Rémi d'un ton sec.

– Julie ! s'exclame Thomas.

– Quoi, Julie ?

– Elle est partie, dit Thomas.

– Oh non ! gémit Rémi.

Mais Thomas a raison. Julie a trouvé l'entrée du tunnel secret et elle y est allée.

– Quelle idiote ! s'écrie Rémi. Mais pourquoi a-t-elle fait ça ?

– Elle est partie à la chasse au trésor, dis-je. Elle pensait que le trésor était au bout du tunnel, vous vous souvenez ? Ou alors elle est peut-être à la poursuite de l'Homme ou de la Femme en rouge, Charlie... enfin, la complice de Valentin* !

– Il faut aller la chercher ! déclare Rémi.

– Pas question ! dit Thomas.

– Mais, Thomas...

– Un, peut-être ; deux, à la rigueur, mais pas tous les trois ! Je veux que quelqu'un reste ici pour donner l'alarme s'il arrive quoi que ce soit quand nous serons dans le tunnel.

Et devinez qui a été choisi ?

– Attends un peu, Thomas ! dis-je, tandis que Rémi et Thomas s'apprêtent à disparaître dans le tunnel. A qui dois-je donner l'alarme ?

– Qu'est-ce que tu en penses, Rémi ? lui demande Thomas. On ne sait pas ce qui se passe. Tout est encore très mystérieux. Si Anatole s'adresse à la mauvaise personne...

– Ton père, Thomas, répond Rémi.

– Hé ! dis-je.

– Oui, déclare Thomas, un peu gêné. Tu devras téléphoner à papa si nous ne sommes pas sortis d'ici une demi-heure !

Je ne suis pas convaincu que ce soit une si bonne idée. Déranger le père de Thomas pour des enfantillages me laisse plutôt rêveur.

Je me dirige donc vers le château très, très lentement. Il ne fait pas encore nuit mais tout a l'air sinistre. Je m'attends à voir surgir à tout moment des fantômes chantants... des fantômes féminins ! En effet, le fantôme chantant que Julie et moi avons entendu dans la tour hantée avait une voix de fille, la voix de... Charlie ! Charlie se ferait donc passer pour un fantôme !

Mais pourquoi ? J'abandonne cette question car soudain me vient à l'esprit une idée bien plus grave : Thomas et Rémi sont partis dans le tunnel sans mon calepin M.T.S. Et le réseau de tunnels est un vrai labyrinthe. Supposons qu'ils ne puissent pas ressortir !

Ils pourraient se perdre et être dévorés par les araignées, ou bien ils pourraient ressortir mais après que j'ai téléphoné au père de Thomas et, alors, ça barderait !

Enfin, Rémi est intelligent. S'il a une boussole sur lui, il saura comment revenir au château. Ils ont quitté la chapelle en empruntant le tunnel à l'extrémité nord... Je regarde ma copie du plan de la cabane et j'essaie de deviner leur itinéraire. Étant partis par l'extrémité nord de la chapelle, ils devraient aller à l'ouest, à la première intersection... sinon, ils iraient vers le rocher de la Croix (numéro 8), ce qui leur prendrait un temps considérable. Ils ne seraient jamais de retour dans une demi-heure, et je devrais donc appeler le père de Thomas. S'ils sont allés vers l'ouest à la première intersection, puis de nouveau au nord, puis à l'ouest pendant un bon bout de temps, puis au sud et enfin à l'ouest, ils arriveront au château... Mais cela leur prendra combien de temps ?

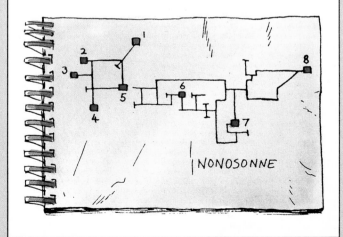

Je note sur mon calepin M.T.S. le meilleur itinéraire à prendre.
En le regardant, je découvre tout à coup un
super-indice qui me vaudra au moins des milliers
de médailles en chocolat !

Savez-vous de quoi il s'agit ?
Anatole a repéré quelque chose, mais à quel
sujet ?
Si vous avez trouvé, rendez-vous au **19**.
Si vous avez besoin d'un indice, rendez-vous au
14.

Des campeurs ? Oui, c'est tout à fait possible, mais cela laisse de nombreuses questions sans réponses. A quoi sert le plan de la cabane ? Pourquoi la porte est-elle cadenassée alors qu'il y a un trou dans le toit ? Pourquoi Coco Cadix a-t-il tenté d'éloigner la Bande des Quatre de la crique du Tonneau ? Retournez au **87** et réfléchissez.

——————— **71** ———————

Fausse piste ! Rendez-vous au **36**.

——————— **72** ———————

Fausse piste ! Retournez au **90** et réfléchissez.

——————— **73** ———————

Fausse piste ! Retournez au **89** et recommencez.

——————— **74** ———————

Fausse piste ! Retournez au **45**.

——————— **75** ———————

Tarte à la crème ! Retournez au **38**.

Sherlock-Note
Vous obtenez 3 points si vous avez pensé à interroger quelqu'un.
Enlevez 1 point pour chaque erreur commise.

– Inutile de taper contre les murs, de prendre des mesures ou de chercher des marques, déclare Rémi. Ce serait beaucoup plus simple d'interroger quelqu'un. Nous avons besoin d'un expert sur le château, et, cet expert, nous l'avons : c'est Melba !

– Elle ne va pas cesser de parler ! bougonne Julie.

– Moi, j'aimerais mieux taper.

– Ah, les frangines ! marmonne Rémi.

Accompagné de Thomas, il part chercher Melba pour l'interroger sur les tunnels secrets. Pendant ce temps-là, Julie et moi tapons un peu contre les murs, au cas où.

Et soudain...

– L'Homme en rouge ! s'écrie Julie.

Il n'apparaît qu'un instant debout sur les ruines du Grinçoire. Puis il disparaît aussitôt. Tout ce que Julie et moi avons pu apercevoir, c'est une tache rouge...

– Vite ! dis-je. Va chercher les autres et...

Ma voix se brise.

– Qu'est-ce que c'est ? demande Julie.

C'est comme si quelqu'un chantait, d'une voix très douce, très aiguë, d'une voix de fille.

– Les mouettes ? dis-je pour me rassurer.
Mais ça ne ressemble pas du tout aux cris des
mouettes.
Julie et moi sommes dans la tour hantée où,
selon la légende, le fantôme se promène et chante
pour le retour de son père.
– Ce doit être des mouettes, poursuis-je.

– On dirait plutôt une fille en train de chanter, rétorque Julie.

Au lieu de rester dans la tour hantée, nous décidons tous les deux de rejoindre Rémi et Thomas. A toute allure, nous dévalons les escaliers et nous nous précipitons dans la cour.

– Que vous arrive-t-il ? demande Rémi quand nous parvenons, haletants, dans le musée. Tu es blanc comme un linge, Anatole !

– Anatole a pris une mouette pour un fantôme ! s'esclaffe Julie.

– C'est toi ! dis-je. Tu as décampé de la tour hantée comme si...

– Anatole ! lance Thomas.

Il est en train de parler à Melba. Enfin, il essaie. Melba s'est lancée dans un monologue interminable.

Pendant que nous racontons à Rémi que nous avons vu l'Homme en rouge disparaître, Melba continue à demander à Thomas de prévenir son père.

– J'ai d'abord besoin de preuves, précise Thomas. Honnêtement, mon père serait furieux si je...

Et Melba repart sur le père de Thomas...

– Il est trop tard pour se lancer à la poursuite de l'Homme en rouge ! murmure Julie.

Thomas finit par calmer Melba et elle nous montre enfin les entrées des tunnels secrets. Rémi et Thomas avaient raison. C'est son châ-

teau, et elle en connaît tous les recoins...
l'Homme en rouge aussi, d'ailleurs. Il peut entrer
et sortir du château quand il le désire. Le plan de
la cabane en est la preuve.

Voici les entrées des tunnels que nous a montrées Melba.

– Empruntons-en un ! s'écrie Julie tout excitée.
– On peut y aller sans danger ? demande Rémi.
C'était la question à ne pas poser ! Voilà Melba
qui repart sur l'état de son château, sur la fortune
que vont lui coûter les réparations, à elle qui
n'est qu'une pauvre propriétaire sans le sou.

C'est au moins la cinquième fois qu'elle nous ressasse cette histoire et nous la connaissons maintenant par cœur !

Nous parvenons enfin à descendre dans le tunnel. A l'intérieur, c'est plutôt sinistre. Le tunnel est très bas de plafond et très étroit. La progression se révèle difficile et les murs suintent d'humidité.

– On pourrait cacher des corps ici ! dis-je.

– Ou torturer des gens ! renchérit Julie. Ouille !

– Ou te cogner la tête ! ricane Thomas en ramassant la casquette de Julie couverte d'une chose visqueuse comme de la vase.

– Où sommes-nous ? demande Thomas à Coco. Le réseau est énorme et il y a plein de petites issues qui ne sont pas marquées sur la carte, des cellules, par exemple. Je pense qu'il devait s'agir d'oubliettes. Il y en a plein sous la cour.

– Près de la tour de la porte, répond Coco, en baissant la tête pour passer.

– La tour hantée se trouve donc au nord par rapport à ici ? dis-je en consultant ma boussole.

– Nord, puis nord-ouest, précise Julie.

Mais le petit groupe s'arrête là. Julie n'a d'ailleurs pas très envie d'aller jusqu'à la tour hantée. Nous sortons du tunnel à la tour de la porte.

– Et nous revoilà ! s'exclame Coco en s'éloignant.

Nous racontons alors à Thomas que nous avons revu l'Homme en rouge et ce que nous en avons conclu.

– Eh bien ?

– Eh bien, ce n'est ni Melba ni Coco, déclare Julie. Nous savons qu'ils étaient là tous les deux. L'Homme en rouge est forcément quelqu'un qui n'était pas là !

– Valentin ! dis-je. Valentin est l'Homme en rouge !

– Ou Maurice Molidor, fait remarquer Julie.

– Peut-être, ajoute Thomas. Mais ce n'est pas sûr. Qu'en penses-tu, Rémi ?

Nous réalisons alors que Rémi n'est plus là.

– Il s'est perdu dans les souterrains ! dis-je. Il faut aller le chercher !

– Retournons d'abord dans la chambre de la tour, propose Thomas, avant que vous ne partiez, et vérifions qu'il n'est pas retourné là-bas, à la recherche de son squelette !

– Oui, répond Julie. Vas-y, toi !

– Bonne idée, dis-je.

Thomas nous jette un regard noir puis il s'en va vers la chambre de la tour.

– Tu as affirmé que j'avais peur, dis-je à Julie. Mais c'est toi, la froussarde !

– C'est faux ! rétorque Julie. Parle pour toi !

Cependant, nous décidons tous les deux de ne pas parler à Thomas de l'histoire du fantôme. Le chant de la tour hantée nous a complètement paniqués. Peu après, Thomas revient avec un message laissé par Rémi.

Pouvez-vous déchiffrer le message de Rémi ?
Le message comporte trois lignes, et un mot se cache dans chaque case.

Si vous avez besoin d'aide pour la première ligne, rendez-vous au **28**.

Si vous avez besoin d'aide pour la deuxième ligne, rendez-vous au **91**.

Si vous avez besoin d'aide pour la dernière ligne, rendez-vous au **64**.

Quand vous aurez déchiffré le message en entier, rendez-vous au **21**.

Quoi donc ? Si vous pensez connaître la réponse, rendez-vous au **38**. Si vous ne pensez à rien en particulier, vous feriez mieux de retourner au **88**. Si vous avez besoin d'un indice, rendez-vous au **46**.

Fausse piste ! Retournez au **45**.

Fausse piste ! Prendre les mesures intérieures et extérieures et chercher une pièce secrète est bien compliqué, et cela vous prendra du temps. La solution est bien plus simple ! Retournez au **8**.

Vous avez raison ! Mais de quoi s'agit-il ? Rendez-vous au **20** quand vous aurez trouvé. Allez au **47** si vous avez besoin d'aide.

Vous l'avez repéré ? Ce gros plan va sûrement vous aider. Dès que vous avez trouvé Rémi, rendez-vous vite au **57**.

CRAC – A = CR C + I = CRIC = CRIQUE,

TONNEAU

CRIQUE TONNEAU est la deuxième ligne du message. Rendez-vous au **1**.

———————— **83** ————————

Dès que vous aurez trouvé,
rendez-vous au **76**.

———————— **84** ————————

Maurice et Valentin peuvent se porter garants de l'alibi de Melba. Retournez au **38**.

———————— **85** ————————

Fausse piste ! Rendez-vous au **36**.

———————— **86** ————————

Tarte à la crème ! Retournez au **45**.

Sherlock-Note

Vous obtenez 4 points si vous avez repéré le trou dans le toit de la cabane.

Enlevez 1 point pour chaque erreur et 1 point si vous avez eu besoin d'aide.

– Retiens Anatole, Rémi ! s'écrie Thomas, encore très inquiet à l'idée d'entrer par effraction dans la cabane.

En fait, nous n'en avons pas du tout l'intention. Nous voulons juste regarder à l'intérieur par le trou situé dans le toit. Ce trou est là par hasard, et c'est par hasard que nous l'avons repéré... Il n'y a là rien de criminel !

– Je suis en train de noter quelques détails dans mon calepin M.T.S., dis-je.

– Et qu'as-tu découvert ? demande Julie.

– Le repaire de l'Homme en rouge !

– C'est vrai, murmure Julie, en faisant presque tomber sa casquette dans le trou.

Heureusement, Rémi la rattrape au vol et la lui remet sur la tête.

– Il n'y aurait pas deux Hommes en rouge, par hasard ? demande Rémi.

En effet, dans la cabane se trouvent deux lits de camp, deux sacs de couchage et deux tasses à café.

– D'accord, deux, dis-je en notant cela dans mon carnet.

– A quoi cela peut-il servir ? s'enquiert Julie en

apercevant une espèce de plan punaisé au mur.
– Un circuit électrique ? suggère Rémi, perplexe.
Le carré, avec les quatre sorties, pourrait bien
être un boîtier électrique...
– On dirait plutôt un labyrinthe, rétorque Julie.

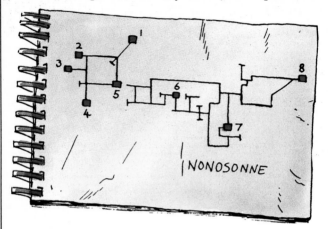

NONOSONNE

– C'est peut-être le plan du système électrique du
château, ajoute Thomas.
– De cette façon, le complice de l'Homme en
rouge pourra couper le système d'alarme pendant
que l'Homme en rouge volera le livre, dis-je.
– Je ne crois pas qu'il s'agisse d'un système électrique, fait observer Rémi.
– Qu'est-ce que signifie NONOSONNE ? dis-je.
Mais personne ne répond. Nous descendons du
toit et allons nous asseoir sur le ponton ; nous
organisons une R.B.4 spéciale (Réunion de la
Bande des Quatre). Thomas est beaucoup plus

détendu maintenant que nous sommes descendus du toit, et cela nous fait plaisir !

– Est-ce le campement de quelqu'un ? suggère Rémi.

– C'est un repaire ! dis-je.

– Et deux personnes l'utilisent, ajoute Thomas, l'air pensif. Cependant...

– Quoi ?

– Ça ne tient pas debout, répond Thomas. Je ne sais pas pourquoi, mais...

– Voilà son instinct de fin limier qui ressort ! murmure Rémi.

En fait, Thomas sait toujours quand quelque chose ne tourne pas rond, mais c'est Rémi qui doit trouver la solution. C'est d'ailleurs ce qu'il est en train de faire.

– L'eau ! dit-il.

– Quoi, l'eau ?

– Il n'y a pas de source d'eau fraîche, explique Rémi. Il y a bien des tasses, une bouilloire, mais pas de seau. Il n'y a rien pour transporter l'eau...

– Sauf la bouilloire ! rétorque Julie.

Rémi a l'air plutôt vexé.

– Il a dû y avoir une source dans le temps, sinon il n'y aurait pas de maisons ici, déclare Thomas. Il y a peut-être une source ou un puits quelque part dans les rochers.

– Deux Hommes en rouge ! dis-je.

– Et pourquoi pas deux Femmes en rouge ? objecte Julie.

– Ou un Homme en rouge et une Femme en rouge, suggère Rémi.

– Des amants en fuite ! dis-je.

– Calme-toi, Anatole ! réplique Thomas sur un ton brusque.

– L'amant et sa maîtresse se sont enfuis. Ils se sont réfugiés dans la cabane et...

– Cela n'explique pas la présence du cadenas, m'interrompt Thomas. Pourquoi cadenasser une porte quand on peut passer par le toit ?

Je jette un œil sur le plan que j'ai dessiné dans mon calepin M.T.S.

Je l'ai appelé le plan de la cabane parce qu'il était punaisé dans la cabane. Je suis persuadé que c'est la clef du mystère.

– Ce pourrait bien être un plan pour entrer dans une banque, dis-je. Supposons que quelqu'un utilise cette cabane comme cachette et prépare le cambriolage d'une banque.

– Oh, Anatole ! grogne Julie.

– Il n'y a pas beaucoup de banques par ici, Anatole, rétorque Rémi en ricanant.

– Je sais bien qu'il n'y en a pas, dis-je. N'importe quel idiot sait qu'on ne se cache pas forcément près d'une banque pour préparer un casse. La moto sert à s'échapper rapidement et ils se cachent ici parce que personne ne pensera à aller chercher des voleurs dans le coin.

Thomas fait la grimace. Il n'a pas dit grand-chose, mais il a surtout réfléchi.

– Je sais ! s'écrie Julie tout à coup. Le cadenas n'est pas là pour empêcher les gens d'entrer, mais pour empêcher quelqu'un de sortir.

– De sortir ?

– N'importe quel enfant trop petit pour sortir par le toit reste enfermé.

– Un kidnapping ! dis-je.

Tout le monde se met à ricaner.

– C'est peut-être tout simplement un endroit pour entreposer des objets volés, déclare Rémi.

– Et pourquoi pas des prisonniers en fuite ? dis-je. Ils se sont évadés de prison, et c'est pourquoi ils vivent ici dans des conditions aussi rigoureuses.

– Eh bien, vous ne manquez pas d'hypothèses, à ce que je vois ! bougonne Thomas.

– On ne manque pas d'indices, dis-je en agitant mon calepin M.T.S. sous le nez de Thomas. J'ai noté absolument tous les détails car je suis persuadé de détenir l'Indice Vital, même si je ne sais pas encore ce que c'est.

– Voici un fait, déclare Rémi. Coco Cadix a essayé de nous empêcher de venir ici, non ?

– Tu devrais demander à ton père de s'informer sur Coco, Thomas, dis-je. Et, d'abord, ce n'est peut-être pas son vrai nom.

– Alors, comme ça, je prends le téléphone et je demande à mon père d'enquêter sur Coco Cadix, rétorque Thomas. Mais il va me demander pourquoi !

– Tu lui racontes ce qu'on a trouvé, dis-je.

– Nous n'avons que des hypothèses, objecte Thomas. Papa va vouloir quelque chose de concret avant de faire quoi que ce soit.

– Alors, quelle est la meilleure hypothèse ? demande Julie. Laquelle correspond le mieux aux indices ?

Thomas se plonge dans ses pensées pendant un moment, puis il se met à sourire.

– Avec les indices dont nous disposons, je ne vois qu'une seule chose sensée à dire à mon père...

D'après vous, de quoi s'agit-il ?

Des campeurs utilisent la cabane ? Rendez-vous au **70**.

La cabane sert de cachette à des voleurs de banque ? Rendez-vous au **2**.

Un jeune couple s'est enfui et se cache dans la cabane ? Rendez-vous au **23**.

Des prisonniers en fuite se servent de la cabane ? Rendez-vous au **58**.

La cabane est utilisée pour cacher un enfant kidnappé ? Rendez-vous au **50**.

La cabane sert d'entrepôt pour des objets volés ? Rendez-vous au **39**.

Si vous n'avez pas d'idée (et êtes prêt à risquer la mort par bombardement de *Tartes à la crème*), rendez-vous au **45**.

Suggestion d'Anatole : attention aux *Tartes à la crème*, elles vous attendent presque partout !

Sherlock-Note
Vous obtenez 3 points si vous avez trouvé la bonne réponse.
Enlevez 1 point pour chaque erreur.
0 point si vous n'avez pas réussi à trouver !

– Charlie, qui qu'elle soit, ne peut être à deux endroits à la fois, dis-je. On l'a bien entendue quand elle essayait de se faire passer pour le fantôme de la tour hantée. Et, juste avant, on a bien vu l'Homme en rouge, là-bas, sur le promontoire ! Elle ne pouvait pas être aux deux endroits au même moment, ce n'est donc pas l'Homme en rouge.

Julie s'apprête à ouvrir la bouche pour dire quelque chose, mais elle la referme aussitôt, visiblement très déroutée. Elle n'est pas la seule ! Le mystère de l'Homme en rouge est le cas le plus compliqué que nous ayons jamais eu à résoudre !

– Julie ! Anatole ! s'écrient Thomas et Rémi qui arrivent, exténués.

– Que vous est-il arrivé ?

– Nous nous sommes perdus, répond Thomas, très en colère. On a atterri aux ruines du Grinçoire. C'est ta faute, Julie, tu vas nous le payer !

– Attendez d'apprendre la nouvelle ! dit-elle très vite, pour détourner la conversation.

Et elle leur raconte comment elle a attrapé l'Homme en rouge.

– J'ai coincé la herse avec des pierres, explique-t-elle. Thomas, tu ferais mieux d'appeler ton père !

– Génial ! s'exclame Rémi. Je crois qu'on devrait laisser Julie parler à ton père, Thomas, tu ne crois pas ?

– Si, répond Thomas. C'est une bonne idée. Il sera très content. Oh... et dis-lui aussi que Rémi et moi, on vient juste de voir l'Homme en rouge.

– Quoi ? s'écrie Julie.

– Au loin, du côté de l'arbre du Pendu, continue Thomas. Quoi que tu aies fait, Julie, tu n'as pas attrapé l'Homme en rouge !

– Thomas peut difficilement téléphoner à son père et lui dire que le voleur a été pris la main dans le sac si l'Homme en rouge n'a pas été attrapé et si le *Livre du corbeau* n'a pas été volé ! déclare Rémi.

– Elle... lui... bafouille Julie. L'Homme en rouge est sorti d'une autre façon, et il a déjà pris le *Livre du corbeau*... Allez voir, il n'est plus là. Il y a un autre tunnel qui conduit hors du château et qui n'est pas indiqué sur la carte...

– Mais le sous-sol est truffé de tunnels, alors ! s'exclame Thomas.

– Oui, répond Julie. Le tunnel qui n'est pas indiqué conduit sous le musée, et un autre débouche dehors. Je parie que c'est ça !

– Des faits ! dit Rémi. Allons d'abord voir si le livre a disparu.

Nous allons chercher Melba Mour qui est avec Valentin. (Julie et moi sommes persuadés qu'il est en train de se forger un alibi !) Ils descendent au musée et ouvrent la porte.

– Mon Dieu ! Il a disparu ! hurle Melba.

– Trouvons l'entrée du tunnel, vite ! s'écrie Thomas.

– Le plancher, les murs, la bibliothèque... elle peut être cachée n'importe où ! dit Julie.

C'est alors que Valentin surprend tout le monde : il trouve l'entrée du tunnel, sous la fenêtre.

– Quelle affaire ! dis-je tout bas à l'oreille de Julie.

– Et maintenant, dites-nous où vous avez caché le livre, M. Avril, déclare Thomas tout à coup.

– Quoi ? demande Valentin.

– Vous avez entendu, s'exclame Rémi, et nous aussi ! Nous vous avons entendu parler à l'Homme en rouge, de la crique du Tonneau et de tout l'attirail que vous y avez stocké.

Le vieux Avril est un grand acteur ! Il a l'air aussi innocent qu'un nouveau-né !

– Tonneau ? dit-il. Attirail ?

Puis il se met à le répéter.

– Tonneau ? ricane Julie. Attirail ?

– Tonneau, dit Valentin. Tonneau, attirail, tonneau, attirail.

– Oh non ! s'écrie Thomas, qui devient tout à

coup rouge comme une tomate. Oh non ! C'est impossible...

– Quoi ? lui demande Rémi.

– Valentin ! répond Thomas. Valentin et Charlie !... Tu n'es qu'un idiot, Rémi ! Si seulement on avait compris...

Quoi donc ?

Que Melba Mour est en fait Charlie ? Rendez-vous au **31**.

Que Melba sait que Valentin utilise la cabane ? Rendez-vous au **16**.

Que Valentin vient de se parler à lui-même ? Rendez-vous au **66**.

Autre chose ? Rendez-vous au **77**.

———————— 89 ————————

Sherlock-Note

Vous obtenez 5 points si vous avez remarqué du premier coup que la partie du plan de la cabane contenant les numéros 1 à 5 correspond à la forme du Château Croulant.

Enlevez 1 point pour chaque erreur.

0 point si vous avez reçu une Tarte à la crème *dans la figure.*

– Le plan du Château Croulant sur le guide correspond à une partie du plan de la cabane ! s'exclame Thomas. La partie où sont marqués les numéros de 1 à 5 !

– La partie que je prenais pour un boîtier électrique ? demande Rémi en jetant un coup d'œil
sur le plan de la cabane. Le numéro 1 sur le plan
de la cabane serait la tour hantée où nous
sommes à présent. Et le numéro 2 est la tour de
guet.
– J'ai compris ! s'écrie Julie.

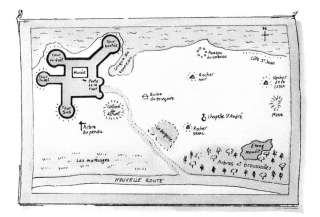

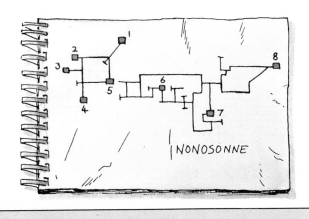

Qu'a-t-elle compris ?

Que le plan de la cabane est...

Une carte du Château Croulant ? Rendez-vous au **95**.

Une carte du Château Croulant tel qu'il était autrefois ? Rendez-vous au **73**.

Une carte d'une nouvelle extension prévue pour le Château Croulant ? Rendez-vous au **43**.

Une carte des oubliettes du Château Croulant ? Rendez-vous au **60**.

Autre chose ? Rendez-vous au **12**.

—————————— **90** ——————————

Sherlock-Note

Vous obtenez 4 points si vous avez déchiffré correctement le message.

0 point si vous avez fait une erreur.

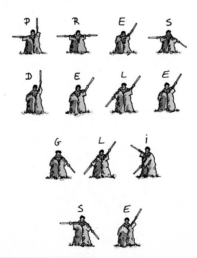

Nous ne perdons pas une minute. Nous nous séparons et fonçons sur le promontoire. Chacun se place de façon à pouvoir observer les autres et Rémi, bien que nous ignorions ce qu'il attend de nous.

C'est alors que Valentin Avril sort de la chapelle. Il est sorti par la fenêtre et se dirige vers le château. Rémi ne bouge pas.

Valentin s'éloigne de plus en plus. Bientôt, il passe tout près de Rémi. Si quelqu'un est bien placé pour le suivre, c'est lui. Mais Rémi reste immobile. Je commence à en avoir assez.

Puis Rémi se lève.

– Il n'y a personne ici ! déclare-t-il.

– Évidemment ! dis-je. Valentin est parti d'ici il y a longtemps. On l'a tous vu. Que faisais-tu, espèce d'idiot ?

– Tu ne comprends pas, Anatole, répond Rémi. Il y avait quelqu'un avec lui, quelqu'un qu'il a retrouvé dans la chapelle. Je les ai entendus parler.

– Charlie ! s'écrie Julie.

– On dirait bien ! ajoute Thomas. Valentin Avril et sa partenaire Charlie en train de comploter pour voler le *Livre du corbeau.*

– Je les ai entendus, poursuit Rémi, l'air soucieux. J'ai même compris quelques mots... au sujet de tonneau et d'attirail...

– La crique du Tonneau ! dis-je en hurlant, persuadé d'avoir compris grâce à mon cerveau de superdétective. Ils parlaient de la cabane de la crique du Tonneau où l'Homme en rouge, Charlie a caché son attirail !

– Charlie est une fille, précise Rémi.

– Quoi ?

– C'est en tout cas une voix de fille que j'ai entendue... une voix très aiguë.

– Les filles n'ont pas forcément une voix très aiguë, objecte Julie.

– De toute façon, ce n'était pas une voix d'homme, répond Rémi. L'Homme en rouge est peut-être tout bonnement une femme !

– J'avais raison ! Charlie est une fille ! s'exclame Julie en écarquillant les yeux.

– Charlie, probablement, dis-je. Personne n'a vu l'Homme en rouge d'assez près pour savoir s'il s'agit d'un homme ou d'une femme !

– Et l'Homme en rouge utilise les tunnels ! ajoute Thomas. C'est comme ça qu'elle est partie sans que tu la voies, Rémi. Elle a disparu dans un tunnel !

– Par l'entrée du tunnel numéro 7, précise Rémi en regardant autour de lui.

– Allons-y ! s'écrie Julie.

– Attendez un peu, déclare Thomas. Réfléchissons d'abord !

– Moi, je pars à la recherche du tunnel ! lance Julie en s'éloignant.

– Et une de moins dans la Bande des Quatre ! grogne Thomas. Enfin... je veux réfléchir à tout cela. Pourquoi cette Charlie se promène-t-elle dans les parages en faisant tout pour qu'on la repère... ?

– Comme la cabane ! dis-je tout à coup, car cette idée de génie vient de me traverser l'esprit.

– Que dis-tu, Anatole ? demande Thomas.

– Cela explique pourquoi il y a un cadenas neuf sur la porte, dis-je.

Est-ce certain ?
A quoi sert, selon vous, le cadenas sur la porte de la cabane ?

A empêcher les gens d'entrer à l'intérieur pour voler l'attirail de l'Homme en rouge ? Rendez-vous au **32**.
A garder quelqu'un prisonnier ? Rendez-vous au **72**.
A garder secret le fait que la cabane est utilisée ? Rendez-vous au **68**.
A autre chose ? Rendez-vous au **5**.

──────────── **91** ────────────

A LA BERGERIE est la deuxième ligne du message. Rendez-vous au **76**.

──────────── **92** ────────────

Coco, Valentin, Maurice et Melba... Les Trois Mousquetaires ? C'est un indice ! Rendez-vous au **7** quand vous aurez trouvé.

──────────── **93** ────────────

Réfléchissez à la forme du plan de la cabane, puis regardez la carte du guide. Dès que vous aurez trouvé, rendez-vous au **89**.

──────────── **94** ────────────

Fausse piste ! Retournez au **57**.

C'est bien plus qu'une carte du château. Retournez au **89**.

VOTRE SHERLOCK-NOTE

Totalisez vos points et reportez-vous au tableau ci-dessous.

Vous découvrirez ainsi vos qualités de détective... confirmé ou débutant.

Autant d'énigmes résolues, autant de points gagnés.

Bonne chance !

Si vous obtenez :   Vous êtes un :

60-70 points   Sherlock Holmes !
50-59 points   super Rouletabille !
40-49 points   as des détectives
30-39 points   détective de 1re classe
20-29 points   détective de 2e classe
11-19 points   apprenti détective
 6-10 points   stagiaire
 0- 5 points   débutant

Martin Waddell est originaire de Belfast,
en Irlande du Nord. Il a deux grandes passions
dans la vie : le football et l'écriture. Jeune
gardien de but prometteur, il a néanmoins
renoncé à une carrière de joueur professionnel.
Aujourd'hui, il fait le tour des écoles pour
expliquer aux enfants comment les auteurs
écrivent leurs livres et leur apprendre
à construire une histoire. Martin Waddell
habite avec sa femme et leurs trois fils, un chien
et un chat, dans une maison située au pied
des montagnes et au bord de la mer.

Terry McKenna est né à Londres.
Il a reçu une formation de comédien mais a
découvert sa vocation en devenant illustrateur.
Si le domaine des livres pour enfants l'attire
plus particulièrement- il en a même écrit deux-
il a autrefois travaillé pour la publicité,
la télévision et a réalisé des dessins satiriques.
Terry McKenna habite à Norfolk, dans l'est
de l'Angleterre, avec sa femme et ses deux
enfants.

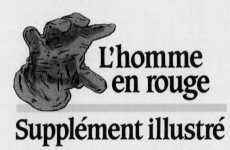

L'homme
en rouge

Supplément illustré

Test

Savoir être discret, voir sans être vu, être présent sans se faire remarquer, telles sont les qualités essentielles d'un bon détective. Les possèdes-tu ? Pour le savoir, choisis pour chaque question la solution que tu préfères. *(Réponses page 126)*

1 Lorsque tu entres dans une pièce, il arrive que l'on te dise :

● ah ! Tu es là ? Je ne t'ai pas entendu entrer

▲ tu pourrais faire moins de bruit quand tu arrives !

■ bonjour ! Comment vas-tu ?

2 Tu arrives en retard chez toi :

● tu te faufiles jusqu'à ta chambre

■ ta maman tourne la tête au moment où tu ouvres la porte

▲ tu renverses un vase en essayant de te glisser dans l'entrée

3 Ton slogan de détective serait :

● discrétion assurée

■ filature discrète

▲ travail rapide

118

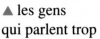

4 **Connais-tu le meilleur moyen d'être discret ?**

● savoir se fondre dans la foule

■ ne pas faire de bruit en ouvrant les portes

▲ ne pas répéter ce que le coupable vous a avoué

5 **Quel genre de vêtements aimes-tu porter ?**

■ des couleurs vives et attrayantes

● une tenue classique, comme tout le monde

▲ des vêtements très originaux

6 **Tu détestes par-dessus tout :**

■ les gens bruyants

● les gens que l'on ne comprend pas

▲ les gens qui parlent trop

7 **Que te répète-t'-on le plus souvent ?**

▲ arrête de gesticuler tout le temps

■ tiens-toi droit

● lève les yeux quand on te parle

8 **A quel l'animal t'identifies-tu ?**

▲ l'éléphant

■ le chien

● le caméléon

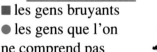

Informations

■ Le fichier de Thomas

Si tu veux être un bon détective, tu dois lire des romans policiers et t'inspirer des méthodes employées par les grands maîtres de l'enquête criminelle. Thomas, en bon fils d'inspecteur, tient son fichier à jour. Chaque illustre détective y figure comme s'il avait réellement existé.

NOM : POIROT
PRÉNOM : HERCULE
DATE DE NAISSANCE : 1917
dans l'imagination d'Agatha
Christie (auteur anglais), pour
les besoins de son premier roman
policier, *La Mystérieuse Affaire de styles,*
où Hercule Poirot a déjà cinquante ans.
NATIONALITÉ : belge
DOMICILE : 14, FARRAWAY STREET, LONDON
PROFESSION : policier à la retraite.
Ancien membre très célèbre de la police belge.
SITUATION DE FAMILLE : célibataire.
ASPECT PHYSIQUE : de petite taille,
la tête en forme d'œuf et chauve.

TENUE VESTIMENTAIRE : toujours tiré à quatre épingles. Porte souvent des souliers vernis.

SIGNES PARTICULIERS : porte une moustache à la française et parfois une perruque pour cacher sa calvitie. Parle anglais avec un accent belge.

LOISIRS : gourmet, il fréquente les restaurants français de Londres. Aime les voyages en chemin de fer.

SPORTS : pas de sport pratiqué régulièrement.

SPÉCIALITÉS : chimiste honorable, il affectionne les affaires d'empoisonnement, pour lesquelles il se montre très expert.

RELATIONS : le capitaine Hastings est pour Poirot l'équivalent de Watson pour Holmes. C'est Hastings qui a contacté Poirot pour venir enquêter sur sa première affaire criminelle.

QUALITÉS : méticuleux et très observateur. Grand sens de l'ordre. Très adroit de ses mains.

DÉFAUTS : manque de simplicité. Aurait tendance à être prétentieux.

MÉTHODE : pour Poirot, les indices matériels ont peu d'importance. Il s'applique surtout à comprendre ce qui a pu déclencher l'acte du criminel.

CE QU'IL DIT TOUJOURS : « C'est dans les petites cellules grises du cerveau que réside la solution de tout mystère. »

Jeux

■ Les rébus d'Anatole ■

Déchiffrer des rébus nécessite un entraînement régulier. En voici cinq plutôt faciles, parce qu'ils commencent par la même syllabe et qu'ils se réfèrent à l'énigme que tu viens d'élucider. A toi de jouer ! *(Réponses page 127)*

De quelle tenue Rémi s'est-il affublé ?

Quel fut le premier faux indice ?

Que portait l'homme en rouge ?

Qu'ont-ils trouvé dans la crique aux corbeaux ?

Où a-t-on mis le livre du corbeau ?

■ Soyons logiques ! ▬▬▬▬▬▬

Retrouve un mot de trois lettres en t'aidant
des informations qui te sont données.
Utilise tes petites cellules grises, te dirait
Hercule Poirot. *(Réponse page 127)*

NOM - n'a aucune lettre commune avec ce mot
MOU - a une lettre commune et à sa place
RAT - n'a aucune lettre commune avec ce mot
JUS - a une lettre commune et à sa place
MER - a une lettre commune avec ce mot

Tu as trouvé ? Le mot est… ! Bravo !

■ Délit ou pas ? ■

Un délit est un acte défendu par la loi.
La bande des quatre ne s'entend pas toujours
sur le sens de ce mot.
Souviens-toi de la cabane
au cadenas et de la grande
envie de Julie de regarder
à l'intérieur !
Voici huit situations.
A toi de décider
si chacune d'elle
constitue ou non un délit. Entoure la lettre qui
correspond à ta réponse (**OUI** : c'est un délit ;
NON : ce n'est pas un délit). Si tu ne t'es pas
trompé, tu formeras un mot qui désigne ce qui
attend celui qui s'est mal conduit !

(Réponses page 127)

	OUI	NON
1. Entrer dans un magasin pour suivre quelqu'un.	P	T
2. Surveiller les entrées et les sorties d'un immeuble.	L	R
3. Pénétrer chez une personne pendant son absence.	I	O
4. Emprunter le vélo de quelqu'un pour suivre un voleur.	B	F
5. Téléphoner chez un suspect pour vérifier son emploi du temps.	A	U
6. Examiner le courrier de quelqu'un.	N	S
7. Suivre quelqu'un dans tous ses déplacements.	E	A
8. Prendre des photos de quelqu'un sans sa permission.	L	T

Réponses

Compte les ■, *les* ▲ *et les* ● *que tu as obtenus.*
- Si tu as plus de ●, *quelle discrétion !*
C'est même parfois de la transparence.
Tu dois être très agréable à vivre, mais n'oublie
tout de même pas d'exister ! Cela dit,
tu possèdes une qualité précieuse pour faire
un bon détective.

- Si tu as plus de ▲, *il est temps de changer*
de vocation si tu avais décidé d'embrasser
la carrière de détective ou d'agent secret !
Car, avec toi, il n'y a pas de secret. Tu apportes
beaucoup de vie et d'énergie aux choses, mais
tu pourrais sûrement procéder de même avec
plus de douceur.

- *Si tu as plus de ■, tu sais te faire oublier quand il le faut, mais tu ne passes pas inaperçu ! Sans être timide, tu es, finalement, quelqu'un dont on dit qu'il est bien élevé.*

pages 122 et 123

Les rébus d'Anatole : *Camouflage (K-moufle-hache) - Cadenas (K-deux-rat) - Cape (K-pas) - Cabane (K-bas-nœud) - Cachette (k-chatte).*

page 123

Soyons logiques !: *le mot à trouver est* JEU.

pages 124 et 125

Délit ou pas ?: *le mot à former est* TRIBUNAL.

Collection folio cadet

série rouge ▬▬▬▬▬▬▬▬▬▬

Le cheval en pantalon, Ahlberg
Histoire d'un souricureuil, Allan/Blake
Le rossignol de l'empereur de Chine, Andersen/Lemoine
Grabuge et l'indomptable Amélie, Brissac/Lapointe
Le port englouti, Cassabois/Boucher
Petits contes nègres…, Cendrars/Duhême
Fantastique Maître Renard, Dahl/Ross
Louis Braille, Davidson/Dahan
Thomas et l'infini, Déon/Delessert
Mina, mine de rien, Farré/Scheffler
Aristide, Friedman/Blake
Rose Blanche, Gallaz/Innocenti
Le poney dans la neige, Gardam/Geldart
L'homme qui plantait des arbres, Giono/Glasauer
Prune et Fleur de Houx, Godden/Cooney
Les sorcières, Hawkins
Le voyage d'Alice, Héron/Dumas
Longue vie aux dodos, King-Smith/Parkins
Voyage au pays des arbres, Le Clézio/Galeron
Sarah la pas belle, MacLachlan/Blake
L'enlèvement de la bibliothécaire, Mahy/Blake
Amandine Malabul, sorcière maladroite, Murphy
Amandine Malabul la sorcière a des ennuis, Murphy
Riquet à la Houppe, Perrault/Claverie
Cendrillon, Perrault/Innocenti
Pierrot ou les secrets de la nuit, Tournier/Bour
Barbedor, Tournier/Lemoine
Comment Wang-Fô fut sauvé, Yourcenar/Lemoine
Trollina et Perla, Ziliotto/Scouvart
Le grand livre vert, Graves/Sendak
L'ogron, Serres/Deiss
Le lait de la lionne, Singer/Fix
Les histoires de Julien, Cameron/Strugnell

série noire ▬▬▬▬▬▬▬▬▬▬

Le faussaire, M. Waddell
Le mystère de la caméra, M. Waddell
La disparition de Laloupe, M. Waddell
L'homme en rouge, M. Waddell